KB000503

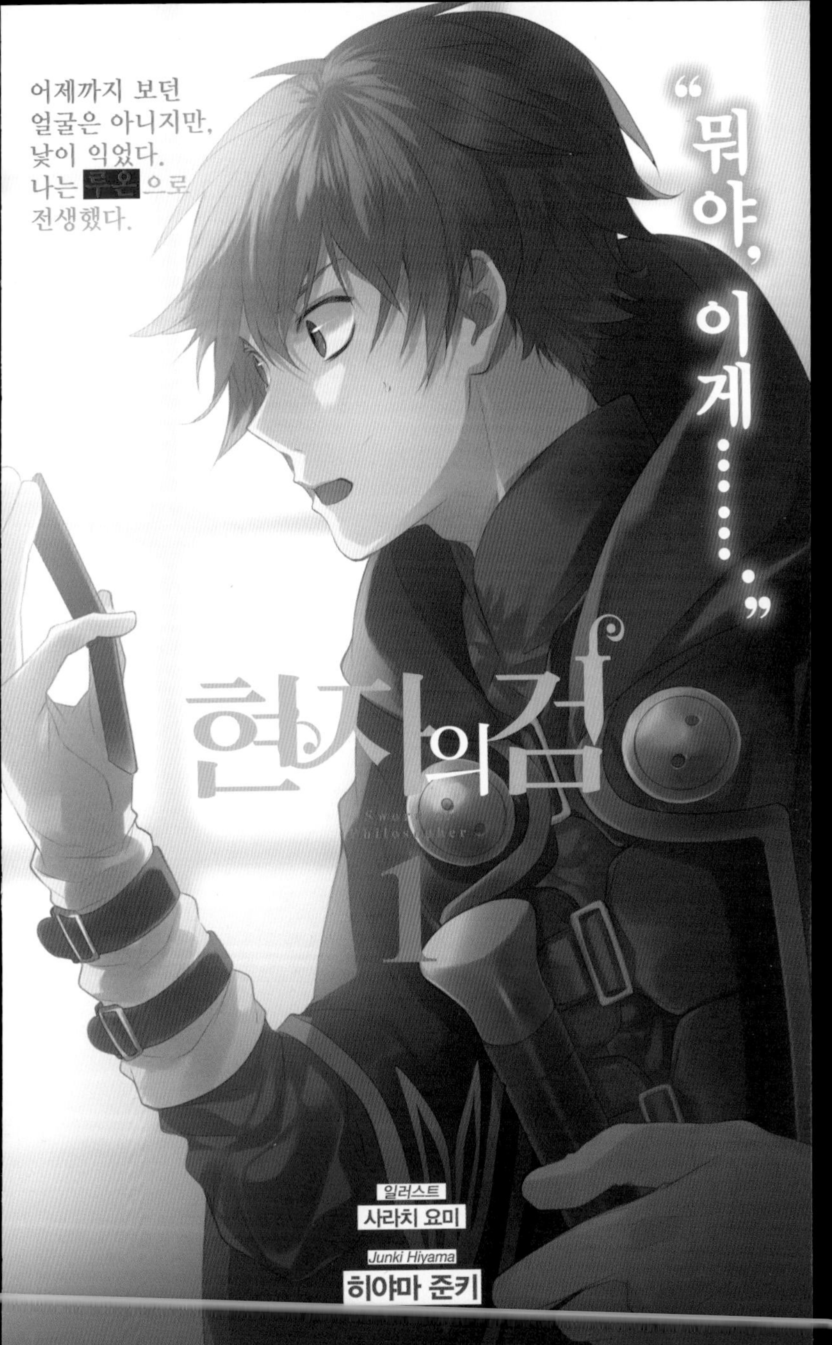
어제까지 보던
얼굴은 아니지만,
낯이 익었다.
나는 루온 으로
전생했다.
"뭐야, 이게……."
현자의 검
Sword of Philosopher
1
일러스트
사라치 요미
Junki Hiyama
히야마 준키

『절세』라는 말이
앞에 붙는 게 당연한 미인.
첫눈에 보고 확신했다.

그녀는——
발크스 왕국의 왕녀,
소필리아였다.

"나와줘서 고마워."

그 안에는 틀림없는
천사가 있었다.
유노와의 첫 만남이었다.

"처음 보는
얼굴이네.
이 마을은
처음이야?"

이목구비가 뚜렷한 미인.
무기는 호신용 단검으로,
나는 그녀가 나름대로
소양이 있다는 것을 알고 있다.
그녀는 마법사.
이름은 **커티 이테트**.

"소피아 님!"

왕녀를 쫓아온
사촌동생 **에이나**였다.

나는 신의 창을 던졌다.
빛은 마인의 검을 파괴하고
마인의 흉부에 도달했다.
—이윽고 단말마가 들렸다.

새로 영창을
시작했다.
가장 잘하는
빛 속성 마법—

현자의 검
Sword of
Philosopher

INTRODUCTION

동경하던 세계로
전생했는데……

좋아하는 게임 세계로 차원이동해서
등장인물들과 교류한다.
상상만 해도 즐거운 상황입니다.
하지만 전생한 캐릭터가
언제 죽는지 알고,
심지어 그 세계가 곧 마왕에게
파괴된다는 걸 안다면……
180도 바뀌어서 좋은 기분일랑
날아가 버리겠죠.
이 이야기의 주인공 루온은
마왕을 쓰러뜨리기 위해 게임 속
등장인물들을 이끌어 갑니다.
때로는 시나리오대로,
때로는 전혀 예상치 못한 전개에
맞닥뜨리지만,
스스로를 단련하며
게임이 준비한 운명에 저항합니다.
루온과 게임 속 등장인물들은
마왕의 위기에서 왕국을
구할 수 있을 것인가?!
플롯 없는 시나리오에는
무엇이 쓰여 있는가―.
확인해 보세요.

현자의 검

Sword of
Philosopher

작가
히야마 준키

일러스트
사라치 요미

옮긴이
이은혜

현자의 검

Sword of
Philosopher

CONTENTS

1

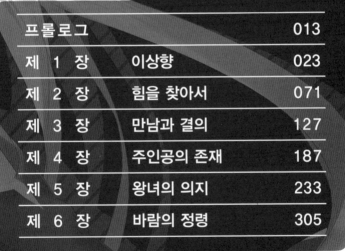

일러스트 : 사라치 요미

프롤로그

　나는 한 달째, 학교에서 집으로 돌아와 계속 같은 게임을 하고 있다.

　현관에서 신발을 벗고 일단 거실로 갔다. 저녁 식사 때까지 시간이 비었다. 간식이라도 먹어야겠다 싶어서 찾아보려던 때, 주방에 있던 어머니가 나를 불렀다.

　"어서 와, 유이치."

　"……다녀왔어요. 뭐 먹을 거 있어?"

　"테이블 위에 빵 몇 개 있으니까 먹고 싶은 거 먹어."

　어머니는 지금부터 내가 무엇을 할지 알기에 잔소리하고 싶은 눈으로 말했다.

　나는 날벼락이 떨어지지 않게 얌전히 굴며 테이블에 있는 빵 중에 카레빵을 챙기고 냉장고에서 스포츠음료를 꺼내 계단을 올라 내 방으로 갔다. 가방을 벗어 책상 위에 놓고 바닥에 빵과 스포츠음료를 둔 뒤, 집에서 입는 옷으로 갈아입었다.

　그리고 바닥에 앉았을 때 딱 보기 좋은 높이에 설치한 텔레비전을 보며 게임을 실행했다. 헤아릴 수 없을 만큼 본 제작사 로고를 넘기자 피아노 선율과 함께 아름다운 초원이 펼쳐진 게임 타이틀 화면이 떴다.

이것이 바로 내가 푹 빠진 『엘더즈 소드』라는 게임이다. 이 음악을 들으며 간식을 먹는 것이 집에 와서 가장 행복한 시간이었다. 빵 포장지를 뜯고 페트병 뚜껑을 열어 배를 채웠다.

"좋아, 그럼…… 새로 시작해볼까."

간식을 다 먹고 혼잣말하며 컨트롤러를 들고 새로운 게임 항목을 선택했다. 이 게임은 주인공이 다섯 명이라 캐릭터 선택 화면이 떴다.

나는 망설이지 않고 한 캐릭터를 선택했다. 낯익은 시나리오가 시작되자 나는 스포츠음료를 마시며 화면을 바라봤다.

―이 게임은 2년 전에 발매했고 나는 발매일에 구매했다. 클리어하려면 몇 십 시간이 걸리는데, 최종적으로 열 번 만에 클리어하며 정말 재미있게 플레이했다. 살면서 이렇게 오래 플레이한 게임은 이게 처음이었다.

스토리는 마왕이 주인공 일행이 사는 대륙을 습격하는 장면부터 시작한다. 인간이 싸우기 시작하던 중, 다섯 명의 주인공이 수많은 만남을 거쳐 마왕에게 도전하는 정통 시나리오다. 주인공마다 이야기 특성이 있어서 여러 번 즐길 수 있게 구성됐다.

이번에 다시 시작하게 된 이유는 신작 발표 때문이었다.

고대하던 속편이 나온다는 정보를 듣고 자연스럽게 열한 번째 플레이를 시작했다. 그랬더니 전처럼 푹 빠지는 바람에…… 현재 다섯 번을 더 플레이했다.

"이번으로 열여섯 번째…… 어떻게 플레이할까?"

오프닝을 보며 생각했다. 2년 동안 게임을 해석하고 새로운 발견을 하며 플레이해 왔다. 결과적으로 이 게임 시스템의 깊은 부분까지 숙지했다. 오히려 그래서 더 즐길 수 있었다.

"좋아, 이번에는……."

그렇게 중얼거렸을 때, 마침 선택한 주인공이 마을을 방문했다. 술집과 여관 등 모험가에게 필요한 최소한의 기능을 갖춘 핀트라는 마을이었다. 그곳에 들른 주인공은 유적 조사 의뢰를 받았다.

그리고 동료를 모으기 시작했다. 제일 먼저 갈색 외투를 입은 남자에게 말을 걸었다. 머리카락 색도 외투처럼 갈색인 눈에 띄지 않는 남자였다.

『오, 저 유적으로 가나? 그럼 조언 하나 해주지.』

그렇게 말하는 남자…… 이름은 루온 마딘. 다른 동료 캐릭터와 비교해 이 시점에서는 능력치가 좋고 검과 마법 둘다 쓸 수 있는 만능형 전사 캐릭터다.

『유적 안에 있는 회색 토끼는 종종 약초를 떨어트려. 아이템이 부족하면 노려보는 게 어때? 필요하다면 동행해줄게.』

대사 뒤에 선택지가 떴다. 나는 망설이지 않고 동료로 삼았다.

—그는 내가 『엘더즈 소드』에서 제일 좋아하는 캐릭터다. 이유는 첫 번째 플레이 때, 지금처럼 동료로 삼았다가 그 힘에 반했기 때문이다.

예를 들어 별생각 없이 본 애니메이션에서 활약한 캐릭터가 마음에 들어 팬이 되거나 서점에서 우연히 표지를 보고 마음에 들어서 만화와 소설을 충동적으로 사거나…… 그런 『첫눈에 반하는』 것 같은 일이 그를 썼을 때 일어났다.

이 게임은 3D 액션 게임에 가까운 전투 시스템에 각 캐릭터마다 특유의 공격 모션이 있다. 처음에 어쩌다 루온을 써 봤는데 무척 다루기 쉽고 검과 마법을 조합한 연속 공격을 할 수 있어서 인상이 좋았다.

이후 정신을 차리고 보니 주인공보다 그를 메인으로 플레이하고 있었다. —그래서 루온이 초반에 죽었을 때, 나는 고개를 푹 숙이고 30분은 족히 손을 움직이지 못했다.

"진짜 충격적이었지……."

당시 광경이 떠올라 나도 모르게 쓴웃음을 지었다. 미궁을 공략하고 돌아오니 불바다가 된 마을에서 사람들을 구하려던 때, 하늘에서 대형 악마가 날아왔다.

인간의 배나 큰 키에 칠흑 같은 근육질 체구. 사람 얼굴을 본뜬 추악한 얼굴로 으르렁거리는 모습은 그야말로 절망적이었다.

악마는 날카로운 손톱을 무기 삼아 마을로 돌아온 주인공에게 오른손을 뻗었다. 공격이 닿기 직전, 루온은 주인공을 밀쳐서 감싸고 손톱에 맞아 죽었다.

당황해서 다시 플레이한 기억이 생생했다. 주인공을 감싸다가 죽었으니 동료로 삼지 않으면 괜찮을 거라 생각했다. 하지만 무의미한 짓이었다. 루온은 악마에게 공격당할 뻔한 마을 사람을 돕고 죽었다.

좋아하는 캐릭터가 초반에 죽다니 무슨 이런 일이 다 있어……. 게다가 루온은 우스갯거리 요소가 있었다. 동료로 삼을 때 설명하는 약초 이야기가 잘못됐다. 약초를 잘 떨어뜨리는 것은 회색 토끼가 아니라 다른 마물이었다.

플레이어들은 제작사가 설정을 변경하고 루온의 대사 수정을 깜빡했을 거라고 추측했다. 이런 대사와 초반에 죽는 것 때문에 그는 네타 캐릭터#1라는 지위를 얻었다. 그러나—.

정신없이 플레이하던 중, 방 밖에서 어머니의 목소리가 들렸다. 저녁 식사 시간이었다. 게임을 중단했다.

부모님과 얼굴을 마주하고 밥을 먹었지만, 대화는 하는 둥 마는 둥 했다. 어머니가 그 모습을 보고 잔소리하고 싶은 표정을 지었지만, 결국 아무 말도 하지 않았다. 나는 식사를 마치고 방으로 돌아왔다.

#1 네타 캐릭터 일본어 「네타(ネタ)」에서 파생된 말이다. 주로 개그를 많이 하는 캐릭터, 혹은 계속 당하기만 하는 역, 삽질이나 굴욕을 많이 보는 역의 캐릭터를 지칭한다.

내일은 쉬는 날이라 마음 놓고 플레이할 수 있었다. 나는 게임을 다시 시작했다.

"역시 루온이야. 레벨을 올릴수록 배우는 마법도 늘어나네."

그렇게 감탄을 하며 게임을 계속했다. 이번 열여섯 번째 플레이의 목표를 정했다. 초반에 죽는 루온의 레벨을 한계까지 올려보자.

아무리 강해도 사망 이벤트는 피할 수 없다. 그래도 좋아하는 캐릭터니까 한계까지 키우고 싶었다.

"새삼 스테이터스창을 보니까 힘만 오르는 게 아니라 마력도 오르네……. 진짜 만능형이구나."

해석에 의하면 그는 검사인 동시에 마법사 수준으로 마력이 높았다. 통합 능력도 영입하는 동료 중 상위 클래스였다. 그 능력을 활용하지 못해서 너무 안타까웠다.

루온을 이벤트로 죽을 때까지 키우려면 시나리오 초반의 약한 적으로 경험치를 모아야 했다. 얻을 수 있는 경험치가 적어서 키우는데 막대한 시간이 필요하지만, 내일은 쉬는 날. 온종일 플레이하면 목표 레벨이 될 수 있겠지.

그렇게 점점 강해지는 루온을 보며 만족하다가 문득 눈이 아파서 시계를 봤다. 새벽 두 시였다.

"꽤 몰두했네……."

루온의 레벨을 확인했다. 아직 목표한 레벨에 도달하지 못했다.

"일단 쉬자."

게임을 켜놓고 일어났다. 복도에 나가니 어두웠다. 부모님은 주무시는 것 같았다. 나는 부모님이 깨지 않게 조심스레 계단을 내려갔다.

거실 불을 켜고 냉장고 안을 확인했다. 스포츠음료가 든 페트병이 눈에 들어왔다. 남은 음료를 확인하고 찬장에서 유리컵을 꺼내 따랐다.

싱크대에 등을 기대고 음료를 마셨다. 텔레비전이 꺼진 거실은 심야 시간이기도 해서 조용했고, 간혹 밖을 지나가는 차 소리 정도만 들렸다.

"주말 동안 루온을 만족할 수 있을 만큼 키울 수 있겠어."

음료를 마시고 중얼거렸다.

"그다음에는…… 어떻게 할까? 눈 딱 감고 다시 시작해서 이번에는 소피아를 한계까지 키워볼까?"

소피아— 이 캐릭터도 불쌍하다. 게임 무대인 대륙에서도 드넓은 영토를 가진 발크스 왕국의 왕녀다. 소피아는 애칭이고 본명은 소필리아 아이셈 발크스로, 루온처럼 내가 첫눈에 반한 캐릭터다.

루온을 동료로 삼을 수 있는 건 다섯 명의 주인공 중 한 명뿐으로, 소피아를 동료로 삼을 수 있는 주인공도 한 명뿐— 그녀의 사촌 동생인 에이나다.

그들은 게임 타이틀이기도 한 엘더…… 즉, 마왕을 봉인한 현자의 피를 이었다. 주인공들은 접점이 없지만, 모두 현자의 핏줄로 마왕을 쓰러뜨릴 수 있다.

왕녀는 에이나 시나리오에서 처음으로 동료가 되고 함께 마물을 쓰러뜨린다. 하지만 활약은 거기까지— 전투를 끝내고 성으로 돌아가면 마족에게 습격당해 아버지인 왕과 함께 투옥되어 죽고 만다.

시나리오 후반에나 죽었다는 사실을 알게 된다. 그 사실을 알고 루온 때처럼 충격을 받았다. 언젠가 동료가 될 거라 생각했는데, 현실은 녹록치 않았다.

이벤트로 죽어버리니 자기만족에 지나지 않지만, 그래도 나는 왕녀가 강해지길 바랐다. 해석에 의하면 그녀도 루온과 막상막하인 만능형으로 상당히 강한 모양이었다. 그래서 그 능력도 보고 싶었다. —그렇게 생각한 직후, 나는 무심코 중얼거렸다.

"그 게임 세계는, 어떤 느낌일까?"

—어릴 적부터 중세 판타지 세계를 동경했다. 또래 친구들이 특촬물이나 로봇 애니메이션을 좋아할 때, 나는 판타지 소설과 게임에 빠졌다.

검을 동경해서 플라스틱 서양 검을 방에서 휘두르기도 했다. 도가 지나쳐서 벽을 망가뜨리고 혼이 났지만, 좋은 추억이었다. 혹은 마법을 동경해서 직접 만든 마법을 노트에 적은 경험도 있다.

내 머릿속에 그린 판타지 세계…… 『엘더즈 소드』에 이렇게까지 빠진 것은 내 이상형에 가깝기 때문이라고 생각한다.

그런 세계를 체감할 수는 없을까……. 그런 생각을 하며 페트병을 봤다. 음료가 남아서 두 번째 잔을 따라 마시며 걸음을 옮겼다.

머릿속으로 루온과 소피아를 생각하며 소파에 앉으려고 거실로 향하다가― 컵에서 입을 뗐을 때, 갑자기 발을 접질렸다.

"으앗……."

간신히 넘어지지는 않았는데― 이번에는 컵을 떨어뜨리고 말았다. 컵이 깨지진 않았지만, 바닥에 떨어지는 바람에 컵에 있던 음료가 바닥에 쏟아졌다.

닦아야겠다고 생각했는데 팔에 힘이 들어가지 않았다. 이어서 다리에 힘이 빠지고 무릎을 꿇었다.

"어, 라……?"

정신이 드니 눈앞에 바닥이 보였다. 바닥에 머리를 찧어 아프다고 생각한 뒤― 깨달았다.

몸이 움직이지 않았다.

"왜……."

어떻게든 일어나려고 했지만 팔이 들리지 않았다. 무슨 일이 일어났는지 이해하지 못한 와중에 이번에는 점점 수마 같은 게 몰려왔다.

머릿속에 죽음이라는 단어가 떠올랐다. 그리고 직감했다—이유는 모르지만, 이대로 눈을 감으면 나는 죽는다.

반사적으로 잠들지 말라고 스스로에게 말을 걸었지만 미미한 저항이었다.

정신이 드니 가슴 언저리가 아팠다. 그것이 심장에서 오는 고통이라는 것을 인식하자 마치 심장을 콱 움켜 죄는 것 같은 느낌이 들었다. 나는 소리 없는 비명을 질렀다.

하지만 점차 그 고통도 사라졌다. 좋은 의미가 아니었다. 수마가 더 강해지고 죽음의 공포가 몸을 덮쳤다.

마지막, 완전히 눈을 감기 전에 게임 생각이 났다. 아직 루온을 다 키우지 못했고, 소피아도 강하게 만들고 싶다……그런 생각을 한 직후—.

의식이 암전됐다.

제1장 이상향

귀에 갑자기 새의 지저귐이 들렸다. 참새 소리인 줄 알았는데 참새보다 소리가 아주 조금 높다고 생각했다.

"……으음."

눈을 뜨지 않고 머리를 긁적였다. 눈꺼풀 아래로 햇빛이 얼굴에 닿는 게 느껴졌다. 햇빛을 피하려고 몸을 뒤척였다.

잠시 뒤, 드디어 눈이 살짝 뜨였다. 아직 의식이 또렷하지 않아서 멍한 와중에 나뭇결이 보였다. 곧 그게 나무문이라는 것을 깨달았다.

그게 무슨 뜻인지…… 인식하기까지 약 30초. 드디어 머리가 움직이기 시작해 상체를 일으켰다.

"어……?"

작게 중얼거렸다가 평소의 내 목소리와 다르다는 걸 깨달았다. 평소에는 목소리에 자신이 없었는데 지금은 묵직한, 흔히 말하는 「멋진」 목소리였다.

"뭐야…… 이게……."

당황하며 방을 둘러봤다. 침대는 창문 근처에 있고 커튼 너머로 밖에서 햇볕이 내리쬤다. 반대쪽에는 밖으로 이어지는 나무문이 있고 바닥도 목제였다.

문을 기준으로 왼쪽에는 의상 케이스 같은 가구, 오른쪽에는 테이블과 의자가 하나씩 있고 짐 같은 게 시야에 들어왔다.

"……뭐야, 이게?"

아까와 똑같은 말을 하며 나는 내 몸에 무슨 일이 일어났는지 인식하려고 했다. 음, 분명히 쉬려고 거실에 갔다가 갑자기—

다음 순간, 쓰러졌을 때가 떠올랐다. 죽음의 느낌이 몸을 덮쳐 나도 모르게 몸을 떨었다.

"그리고 정신이 드니 여기에……."

다시 방을 둘러봤다. 낯선 방.

"어떻게…… 된 거야?"

아무것도 이해하지 못하던 중, 내 복장을 확인해봤다. 긴팔 셔츠와 바지를 입고 있었다. 바지에는 벨트를 넣는 고리가 있었지만, 벨트는 없이 그냥 허리에 걸쳐 있었다.

일단 침대에서 내려오려고 몸을 움직였다. 발치에 양말과 가죽 부츠가 있었다. 그것들을 신고 테이블로 다가갔다.

의자를 보니 등받이에 연갈색 옷이 걸려있고, 앉는 곳에 가죽으로 만든 상의와 흰 장갑, 그리고 벨트가 있었다. 갈색 옷은 들어보니 외투였다.

물건을 확인하고 자연스럽게 상의를 입었다. 제법 두툼해서 나이프 같은 날붙이로도 안 뚫릴 것처럼 튼튼했다. 지금 입고 있는 바지도 그랬다.

벨트를 차고 장갑을 꼈다. 외투를 걸친 뒤, 테이블 위를 봤다. 파란 힙색이 있었다. 너비는 30센티미터 정도로 들어 보니 꽤 무게가 나갔다. ……허리에 차니까 왠지 마음이 편했다.

다른 것은 뭐 없나 찾아보다가 문 옆에 세워진 것을 발견했다. 그것은—.

"……거, 검?"

나도 모르게 놀라서 눈을 의심했다. 검집에 담긴 장검 한 자루. 게임과 소설 세계에서나 본 것이었다.

내가 빨려 들어가듯이 손을 뻗어 검을 만지려고 했을 때—.

"어~이!"

갑자기 문밖에서 어떤 남자의 목소리가 들려왔다. 깜짝 놀라자 노크 소리가 났다.

"이봐, 준비됐어? 갈 시간이야."

어떻게 대응해야 할지 모르고 문만 쳐다보며 움직이지 못했다.

한동안 그러고 있으니 다시 문을 두드리는 소리가 났다. 그러자 굳은 몸이 풀려서 다가가 문을 열자 짧은 금발을 세운 남자가 있었다. 기분 탓인지 눈초리가 매섭고, 내 눈에는 불량해 보였다.

"오, 준비는 해놨네."

남자가 나를 보며 말했다.

"곧 출발할 건데 갈 수 있겠어?"

"아, 응······."

대답하자 남자가 고개를 갸웃거렸다.

"왜 그래?"

"아, 아니, 그게······."

"잠이 덜 깼나? 옷은 잘 챙겨 입고서는······."

"괘, 괜찮아. 금방 갈게."

어찌어찌 대답했으나 남자는 미간을 찌푸렸다.

"뭔가 이상한데? 정말 괜찮나?"

······등줄기에 땀이 맺혔다. 나는 필사적으로 머리를 굴려 말을 이었다.

"문제없어······. 곧 준비되니까 기다려주겠어?"

남자는 내 말을 듣고도 계속 의아해했지만 순순히 물러나며 「알았어」라고 말했다.

"그럼 아래에서 기다리지. 하지만 늦잠 잔 건 사실이니까 아침밥은 없어."

남자가 선언하고 문을 닫았다. 나는 멍하니 서 있다가······ 안도의 한숨을 흘렸다.

"뭐냐고, 이게······."

다시 검을 봤다. 머릿속은 혼란스러웠지만, 처음 보는 무기에 관심이 생겼다.

천천히 손을 뻗어 잡았다. 묵직한 감촉과 함께 손에 익숙한 느낌이 들었다.

왼손으로 검을 잡고 오른손으로 검집을 잡아 조금 뽑아봤다. 꼼꼼히 손질했는지 깨끗한 은백색 날에 내 모습이 비쳐 갈색 머리카락이 보였다.

"아……."

나도 모르게 말을 흘렸다. 내 모습을 확인해야겠다는 생각에 거울을 찾았다.

그때 힙색에 손거울이 있는 게 떠올랐다. —「떠올랐다」는 표현도 뭔가 기묘하지만, 아무튼 힙색을 뒤져 손거울을 꺼냈다.

얼굴을 확인했다. 또렷한 눈매. 날카로운 콧날. 잘생긴 외모에 흉터도 없었다. 검은 눈은 어떤 결의를 품은 듯, 목소리처럼 무거웠다.

당연히 어제까지 보던 내 얼굴은 아니지만 낯이 익었다. 혼란한 머리로 왜 낯이 익은지 기억을 끄집어내려다가— 문득 아까 만난 남자의 말이 떠올랐다.

"……계속 방에 있으면 곤란하겠지."

나는 손거울을 힙색에 찔러 넣고 검을 허리에 찼다. 그러자 전투태세를 갖췄다는 의식이 생겼다.

재빠르게 단장을 마치고 방을 나왔다. 이곳은 여관 2층인지, 1층으로 내려가자 조금 전의 남자를 포함해 총 여섯 명이 기다리고 있었다. 모두 나와 비슷한 차림에 검과 창 같은 무기를 들었다. ─전사, 라는 단어가 머릿속에 떠올랐다.

"좋아, 왔군. 가자."

조금 전의 남자가 호령하자 일제히 여관을 나섰다. 나도 그들을 따라 밖으로 나갔다.

햇빛에 시야가 순간 하얗게 물들었다. 얼굴을 찌푸리며 걷다가 이내 눈에 들어온 세계는─ 굉장했다.

"이건……."

땅을 탄탄히 다져서 만든 대로. 좌우에 늘어선 건물은 상점인 모양이었다. 호객하는 여자가 왕래하는 사람들에게 위세 좋게 말을 거는 모습이 보였다.

숨만 쉬어도 확실히 알 수 있었다. 배기가스로 더럽혀지지 않은 맑은 공기. 길을 걷는 사람들은 어제까지 봐온 세계와 달랐다. 수도복을 입은 여자와 투박한 철제 흉갑을 입고 창을 든 병사, 거기에 상인으로 보이는 남자가 고삐를 쥐고 마차를 모는 광경. 건물은 전부 서양풍인데, 나무나 벽돌 등 재료가 제각각이라 외국 거리 같았다.

그 거리를, 나와 전사들이 걷고 있었……. 나는 인정할 수밖에 없었다. 중세 판타지 세계…… 그런 곳에 와버렸다는 것을─

꿈인 줄 알고 뺨을 꼬집어봤으나 아주 평범하게 아팠다.

왜 이런 곳에 왔을까. 의문이 끊이지 않았지만…… 아무튼 나는 이 세계에 와버렸다. 그렇게 사실을 이해하기 시작했을 때, 조금 전에 방에 왔던 전사가 내 옆에 와서 말을 걸었다.

"어이, 루온. 역시 오늘 이상한데? 뭐 이상한 거라도 먹었어?"

그의 물음에 나는 그를 돌아봤다. 뭐라고 대답하지—.

"아니…… 잠이 아직 덜 깼나 봐."

"이봐, 정신 차리라고~. 오늘은 유적 탐색 마지막 날이니까. 제일 안쪽에 강력한 마물이 기다리고 있을 거야. 기운 좀 내."

전사가 내 어깨를 두드렸다. 나는 「으응」이라고 대답하고 퍼뜩 다시 생각을 떠올렸다.

루온? 지금 이 전사가 루온이라고 했어?

나는 주위를 둘러보며 생각했다. 루온…… 나를 그렇게 불렀다는 건 그게 내 이름인 거겠지—.

그렇게 인식하자 갑자기 머릿속에 기억이 되살아났다.

네 살 정도 되었을까— 유치원에 들어갈 나이인데 나는 내 몸에 맞춘 목검을 열심히 휘두르고 있었다.

시야 끝에는 크고 하얀 목조 건물이 있었다. 어릴 적에 살았던 저택으로 나는 지금 안뜰에 있었다.

『루온, 너무 까불거리지 않도록.』

남자의 쓴웃음 섞인 목소리. 근처에 검은 귀족 옷을 입은 서른 살 정도의 남자가 있었다. 흑발을 제외하면 아까 거울로 본 내 모습과 똑같았다. ……아버지다.

『이렇게 검에 열을 올리다니, 이거 본격적으로 가르치는 게 나으려나? 어떻게 생각해?』

아버지는 내게서 시선을 옮겼다. 내 바로 앞…… 그곳에는 아름다운 흰색 드레스를 입은 여자가 서 있었다.

질문에 여자는 미소로 대답했다. 태양 아래에서 빛나는 아름다운 밤색 머리카락. 투명하다는 표현이 어울릴 정도로 흰 피부를 가진 그녀는 내가 검을 휘두르는 모습을 질리지 않고 바라봤다.

그녀는 내 어머니…… 그리고 시녀로 보이는 사람이 어머니 곁에 서 있었다.

어릴 적에는 저택에서 부모님의 따뜻한 눈길을 한 몸에 받으며 자랐다……. 검을 휘두를 때마다 모두 웃었다.

『제가 아버지랑 어머니를 지킬 거예요!』

『하하하, 믿음직한데! 고맙구나, 루온.』

아버지가 내 머리를 쓰다듬었다. 간지러운 감촉이 무척 기분 좋아서…… 부모님을 위해 노력하자고 어릴 적부터 결심한 날이었다.

흠잡을 데 없이 행복한 광경— 그러나 갑자기 장면이 바뀌었다. 저택의 한 방. 머리를 감싼 아버지가 눈에 들어왔다.

『미안하구나…… 루온.』

내가 입을 열기 전에 사과가 들렸다.

여섯 살 때의 광경이었다. 어린아이 나름대로 무슨 일이 일어났는지 이해하고, 어깨를 떨군 아버지를 보고 충격을 받은 기억이 되살아났다.

『내가…… 네 꿈을 부숴버렸어.』

검을 쥐고 마법을 배우기 시작한 내 목표는 기사였다. 하지만 부모님은 정쟁에서 패배해 몰락의 길을 걸었다. 아버지는 필사적으로 저항했으나 역부족이었다.

나는 실의에 빠진 아버지에게 말을 걸지 못했다. 방을 둘러보니 가구가 거의 없어서 무척 호젓한 분위기에 휩싸였다.

그대로 멍하니 서 있으니 뒤에서 어머니가 다가와 내 어깨에 손을 올렸다. 돌아보려고 하자 어머니가 그대로 끌어안아서 나는 움직일 수 없었다.

어머니는 아무 말 하지 않았지만…… 슬픔에 잠긴 게 명백했고, 나는 말없이 서 있을 수밖에 없었다.

이때, 또 장면이 바뀌었다. 어느 마을 안— 그곳은 내게 제2의 고향으로, 귀족이 아니라 극히 평범한 평민으로 살기 시작한 지 약 반년이 지났을 때쯤이었다.

마을과 떨어진 곳에 있는 집으로 가서 문을 두드렸다. 잠시 뒤, 안에서 검은 로브를 입은 흑발의— 온몸을 검은색으로 물들인 남자가 나타났다. 나이는 스물을 넘지 않았을까.

"……또 너인가."

남자는 탄식하면서도 나를 안으로 들였다. 필요 최소한의 가구만 있는 집. 구석에 대량의 책이 있었다. 책을 사기 위해 다른 데에 돈을 쓰지 않아서 그런 거 아닐까?

남자가 자리에 앉았다. 그리고 내게 맞은편에 앉으라고 재촉했지만, 나는 그대로 서서 말했다.

"부탁드립니다. 제게 마법을 가르쳐주세요."

"……누차 말했지만, 마법을 배우고 싶다면 더 자라고 나서 적절한 곳에 가는 게 나아."

"그건 안 됩니다."

귀족으로 교육받아서 말투가 또래 아이들에 비해 어른스러웠다. 마을 사람들은 「영리한 아이」라고 생각했다.

"연구가 아니라 실용적인 마법을 배우고 싶어요."

"분명 내가 궁정마술사로 일하긴 했어. 그 이야기를 듣고 가르침 받고 싶어 하는 것도 이해가 돼. 하지만 네게는 이르다고 했잖아. 적어도 마법의 기초라고 할 만한 책은 싹 한 번 읽어봐야—."

"마법서."

남자의 말을 자르고 입을 열었다. 남자는 눈살을 찌푸리고 말을 기다렸다.

"마을 도서관에 있던 마법서는 전부 읽었어요."

내 말에 남자가 굉장히 놀랐는지 눈을 동그랗게 떴다.

"읽었다고……?!"

"마법이란 몸속에 있는 마력을 이용해 일으키는 것— 주문을 외워 몸속 깊숙이 있는 마력을 높이고 다듬어 발동한다."

나는 말하며 오른손을 내밀었다.

"내 안에 잠든 반짝임이여— 나의 마력을 대가로 힘을 보여라— 빛이여!"

손끝에 빛이 생겼다. 그것을 본 남자가 숨을 삼켰다.

"……독학으로, 마법을 쓰게 됐나."

생겨난 것은 단순한 빛. 하지만 어린 내가 빛을 만들었다는 게 남자에게는 몹시 놀라운 일인 모양이었다.

빛이 사라졌다. 남자가 침묵하는 사이, 나는 말했다.

"……책에는 올바른 방법이 아니면 강한 마법을 쓰지 못한다고 적혀 있었어요."

"분명, 독학으로는 하급 마법만 배울 수 있지. 그 이상…… 중급 이상의 마법을 습득하려면 제대로 된 지식과 기술, 무엇보다 『자격』이 필요해."

남자가 크게 숨을 내쉬었다.

"알겠다. 너처럼 노력하는 아이를 눈앞에 두고 가르치지 않을 수는 없지."

그 말에는 연구가로서 내 힘이 어디까지 뻗어 나갈지 보고 싶다는 호기심이 담긴 것 같았다.

그리고 또 장면이 바뀌었다. 나이는 여덟 살 정도로, 마을 외곽인가? 주위에 가죽 갑옷을 입은 용병 같은 사람과 하얀 갑옷을 입은 기사가 있었다. 나는 돌로 만든 검을 쥐고 용병을 상대하고 있었다.

"제법인데?"

나와 대치한 용병이 밀했다. 검 훈련이었다.

나는 돌격을 개시했다. 검을 쥐고 숨을 크게 들이마셨다. 몸속이 뜨거워지는 것을 느끼며 가로로 베었다.

용병은 그것을 가볍게 받아넘겼다. 아이인 내가 이길 방법은 없지만, 계속 물고 늘어졌다.

검의 응수― 말만 응수지 상대는 검을 피할 뿐, 공격하지 않았다. 만약 반격해 온다면 피하기 어렵겠지. 하지만 나는 더 공격했다.

불을 내뿜는 듯한 맹공으로 아주 잠깐, 상대에게 틈이 생겼다. 나는 그 틈으로 사정없이 검을 내질렀다.

"으억?!"

놀란 용병이 몸을 틀어 피하며 후퇴했다. 실전이었으면 추가로 공격하고 싶었겠지만, 숨이 가빠서 움직이지 못했다.

"거기까지 하죠."

옆에 있던 기사가 말했다.

이어서 용병에게 감사를 표했다.

"일부러 감사합니다. 이 아이에게 좋은 훈련이 됐습니다."

"······나한테 훈련을 의뢰하다니 참 별나군."

"다양한 경험을 시키고 싶기도 해서요."

그만큼 내게 장래성을 느꼈는지도 모른다. ─숨을 고르던 나는 용병에게 감사를 표했다.

"감사합니다."

"······나중에 그럴 마음이 생기면 이쪽 세계로 와. 그렇게 강해지려는 목적이 뭔지는 모르지만······ 환영하지."

"권유하지 마세요."

기사의 말에 용병이 웃고 돌아갔다. ─이때의 내게는 모험가가 된다는 선택지가 없었다. 그런데 용병이 되기로 한 것은 기사가 되어도 집을 부흥시킬 수 없다는 것을 깨달았기 때문이었다.

또 장면이 바뀌었다. 지금 모습의 나······ 반년 전.

"루온, 다시 생각해라."

집을 나가려는 내게 아버지가 말을 걸었다. 귀족 옷을 입은 옛날의 아버지는 어디에도 없는, 극히 평범한 사람들 속에 녹은 모습이 보였다. 연륜이 쌓이고 그에 상응하는 주름과 흰 머리를 가진 아버지에게 나는 몹시 짜증이 났다.

"기사가 아니라 모험가가 되겠다니─"

"저는 기사가 되면 아버지와 어머니가 다시 저택에서 살 수 있을 거라 생각했어요."

나는 아버지의 말을 막고 말했다.

"하지만 무리라는 걸 알았죠……. 많은 게 부족해요. 권력, 재력, 그리고 실력…… 전부."

"루온……."

"저는 기사가 되기 위해 강해졌어요. 하지만 성에서 일하며 집을 부흥시키는 건 환상에 지나지 않는다는 걸 깨달았어요."

모험가가 되어 집을 부흥시키는 데 필요한 자금과 실력을 갖춘다……. 도박이나 다름없는 행동이었지만, 이때의 나는 그것이 올바르다고 생각했다.

"스승님들께는 죄송하다고 생각해요. 모험가가 되라고 마법과 검을 가르쳐준 게 아니니까. 하지만 생각을 바꾸지는 않을 거예요."

그대로 쏜살같이 밖으로 뛰쳐나갔다. 뒤에서 아버지의 목소리가 들렸으나— 무아지경으로 달렸다.

—순식간에 되살아난 기억에 두통이 일어날 정도의 충격을 받았다. 균형을 잃고 걸음을 멈출 뻔했다. 조금 전의 전사가 변화를 알아차리고 내게 말을 걸었다.

"정말 괜찮나? 무리라면 여관으로 돌아—."

나는 말을 건 전사의 말을 손으로 막았다.

"괜찮아……. 걱정 끼쳐서 미안."

"……그래? 상태가 나빠지면 바로 말해."

전사는 물러났다. ―그리고 나는 절절히 인식했다.

"나는…… 루온 마딘."

그 사실을 머릿속에 새기며 이곳이 어디인지도 이해했다. 발크스 왕국 남부, 로로스티아 지방. 부채꼴처럼 생긴 대륙 서부에 있는 나라. 내가 지금 있는 곳은 그 서부의 중앙 부근이었다.

루온이라는 이름, 발크스 왕국이라는 지명…… 게다가 머리 깊숙한 곳에서 솟구치는 온갖 기억. 그것들이 나를 하나의 결론으로 이끌었다.

"이곳은…… 『엘더즈 소드』의 세계……."

길을 걸으며 반쯤 멍하니 중얼거렸다.

경위는 모르지만― 나는 어제까지 줄기차게 플레이한 게임 세계에 와버린 것을 이해했다.

하지만 엄청난 정보량에 감정이 따라오지 못했다. 이해는 했지만, 머릿속에서 처리하는 것만으로도 벅찼다. 그런 상태로 마을을 나간 순간― 바로 앞에 정상이 새하얀 산이 보였다.

산맥처럼 좌우로 이어진 산들의 압도적인 박력에 순간적으로 생각을 잊을 정도였다. 정비된 길을 오가는 마차와 여행객, 영화나 소설 세계에서나 존재하는 광경이 눈앞에 펼쳐졌다.

"굉장해……."

작게 감탄했다. 흥분이 차오르고 몸이 떨렸다. 본의 아니게 멈춰선 나는 전사들이 앞서가는 것을 보고 서둘러 쫓아갔다. 그러면서 나 자신— 루온 마딘을 생각했다.

어제까지의 『유이치』가 걸어온 인생이 아닌데 모든 기억이 내 것처럼 떠올랐다. 나이는 『유이치』와 같았다. 그리고 『엘더즈 소드』에 있는 루온의 프로필과 일치— 아니, 게임보다 자세한 기억이 되살아나 나는 내가 루온인 것을 싫어도 알게 됐다.

게임 설정은 어디까지나 개요에 지나지 않고 루온의 일부분만 표현했다는 뜻인가…… 그때, 전사들이 진로를 바꿨다. 길을 벗어나 숲으로 발을 옮겼다.

이어서 지금부터 하려는 것을 기억에서 끄집어냈다. 나는 다른 전사들과 함께 『천사의 유적』을 며칠에 걸쳐 공략 중이었다. 동료들의 이름도 전부 생각났다. 예를 들면 조금 전에 내 방에 들른 전사의 이름은 베디 아마트— 그가 책임자였다.

그리고 오늘이 유적 탐색 마지막 날…… 유적의 제일 안쪽으로 들어갈 예정이다.

『천사의 유적』은 게임에 존재했다. 지금 우리가 있는 대륙 — 셸지아 대륙이라 불리는 이곳은 인류가 번영하기 전, 천사가 살았다. 그들이 남긴 대륙 내의 수많은 유적 안에는 『아티팩트』라고 불리는 강력한 무기와 도구가 잠들어 있다.

유적은 보통 특수한 마법이 펼쳐져 있어서 찾을 수 없지만, 간혹 우발적으로 마법이 풀려 발견되는 일이 있는데, 우리는 그중 하나에 들어갔다.

이렇게 유적이 나타나는 일은 아주 드문데, 이 대륙은 언젠가 마왕의 침공을 받고 마족과 마물에게서 나오는 『장기(瘴氣)』의 영향으로 많이 보이게 되는 설정으로 기억한다.

현시점에는 마왕이 아직 이 대륙을 습격하지 않았다. 그러니까 유적 발견은 드문—.

"—잠깐만."

순간 어떤 것을 깨닫고 나도 모르게 소리를 냈다.

그러자 전사 몇 명이 나를 봤다. 서둘러 「아무것도 아니야」라고 대답하며 얼버무렸다.

루온이 게임에서 높은 능력을 갖춘 것은 틀림없다.

그러나 게임 초반에 죽는다.

"죽는 건 피할 수 있겠지만…… 언젠가 마왕이 오겠지."

그걸 방관해도 괜찮을까? 예를 들면 대책을 세우도록 경고한다든가? 하지만 믿어줄지 알 수 없었다.

잠깐 생각해봤지만, 현시점에서는 어쩌지 못한다는 결론만 나왔다. 나는 일단 지금 당면한 일을 처리하기로 하고 숲으로 들어갔다.

시야에 들어오는 식물을 보고 분명히 이 세계에만 있는

것일 거라 생각하며 걷다가…… 이내 숲을 빠져나왔다.

정면에 보이는 바위산에 유적 입구가 동굴처럼 쩍 입을 벌리고 있었다. 겉으로는 크기를 확인할 수 없지만, 안은 제법 규모가 있는 석조 유적이었다.

"이봐, 부탁해."

한 전사가 말을 걸자 다른 인물이 무언가를 외웠다.

"―빛이여."

그렇게 말하며 손을 내밀자 말한 그대로 하얗고 동그란 빛이 생겼다.

마법― 기억 속에 있는 루온도 마법을 썼지만, 이렇게 가까이에서 목격하니 다시금 감동이 머리를 휘저었다.

루온은 어떤 마법을 썼을까……. 어릴 적부터 배웠지만, 지금까지 습득한 것은 하급 마법뿐. 그보다 위인 중급, 상급 마법은 『자격』이 있고 지식도 머릿속에 있지만 미습득. 여행하는 동안에도 수련했지만, 발동하지는 못했다.

이내 다른 전사들과 함께 유적 안으로 들어갔다. 빛은 충분했고, 입구에서 앞으로 이어지는 직선 통로를 제법 멀리까지 비췄다.

통로를 지나 광장에 도착했다. 도착하자마자 시야에 움직이는 게 들어왔다.

"마물이군."

베디가 그렇게 단정하고 검을 뽑았다.

"이곳이 어지간히도 있기 좋은가 봐. 아무리 쓰러뜨려도 쏟아져 나온다니까."

전사들도 전투태세에 들어갔다. 나도 한발 늦게 검을 뽑았다.

검을 잡고…… 공포를 품었다.

마물을 응시했다. 인간 반만 한 회색 토끼. 그것은 루온이 잘못 설명한 그 『회색 토끼』가 틀림없었다.

"마지막 날 첫 전투다. 다치지만 마라!"

베디가 기합을 넣자 전사들이 움직였다. 내 눈에는 안 보이지만, 이곳에 같은 마물이 여러 마리 있는 모양이었다.

시야에 들어온 회색 토끼는 다른 전사가 담당했다. 그때, 옆에서 기척이 느껴졌다. 마물이 내뿜는 살기라고 해야 할까, 어제까지의 『유이치』가 느껴본 적 없는 찌릿찌릿한 기척—

눈을 돌리자 회색 토끼가 나를 향해 돌진했다. 모양새는 토끼인데 진홍색 눈은 사나웠고 훨씬 빨랐다.

다음 순간, 나는 머릿속으로 어떻게 움직이면 되는지 감각적으로 이해했다.

"윽……?!"

하지만 몸이 굳었다. 긴장과 공포로 갑자기 아무것도 할 수 없게 됐다.

그 사이에 회색 토끼가 다가와 나도 모르게 숨이 멈췄고…… 머리가 새하얘지는 상황에 필사적으로 몸에게 명령했다.

그 결과, 온몸에 힘이 들어가며 어찌어찌 움직였다. 옆으로 발을 움직여 공격을 피하는 데 성공. 상당히 아슬아슬했지만, 어찌어찌…… 이때, 몸이 기억하는지 멋대로 움직여 검을 세게 쥐고 반격했다.

내 뜻에 반하는 움직임. 기묘하다고 느끼면서도 검을 휘둘러 회색 토끼를 공격했다. 토끼의 몸 측면에 검이 들어갔다. 주먹에 묵직한 느낌이 전해졌다.

"아무튼, 쓰러뜨려야……!"

나는 스스로를 북돋우며 조금 거리를 두고 회색 토끼를 관찰했다. 눈이 마주쳤다. 적의를 숨긴 진홍색 눈이 나를 꿰뚫자 심장이 쿵 내려앉았다.

회색 토끼가 덤벼들었다. 입을 벌린 걸 보고 깨물기 공격임을 읽었다. 게임에서는 분명 백스텝으로 피했는데―.

몸이 반응해 후퇴했다. 어떻게든 피했지만, 발이 엉켜서 상상한 동작과 달랐다. 머리의 생각과 몸의 움직임이 일치하지 않았다.

"큭……!"

혼란스러운 상황 속에서 이번에는 몸에 힘이 들어갔다. 온몸이 열을 띠는 느낌에 휩싸였다. 이건 마법이다!

머릿속에 어떤 말이 떠오르며 몸이 더 뜨거워졌다. 마법을 쓰기 위해 몸이 준비하기 시작하고 입을 열었다.

"내 안에 잠든 반짝임이여―."

먼저 어느 속성 마법을 쓰는지 말해서 몸에 깊이 인식시킨다. 어릴 적에 빛을 만들었을 때와 같은 주문. 이것은 내가 빛 속성을 쓴다는 뜻이었다.

그 말과 함께 단번에 마력이 왼팔에 모였고— 손을 뻗으며 외쳤다.

"형태를 이루어 사악을 멸하라— 빛이여!"

왼손 앞에 주먹 크기의 빛이 나타났다. 이것이 하급 마법 『홀리 샷』이라는 것을 이해하며 힘차게 발사했다.

빛의 탄환은 눈 깜짝할 사이에 회색 토끼에게 날아가 직격했다. 펑, 귓전을 때리는 파열음이 울리고 마물이 크게 휘청거렸다. 이때, 몸이 또 멋대로 움직여 추가 공격을 했다. 가로 베기가 멋지게 들어갔다.

다음 순간, 회색 토끼가 쓰러졌다. 쓰러졌다고 생각하자 마물이 재가 됐다.

평범한 동물은 시체가 남지만, 이 녀석은 마족에게서 나오는 특수한 마력인 『장기』에 침식된 마물이라 티끌이 됐다.

"—일단 다치지 않고 이겼군."

그때, 베디의 목소리가 들렸다. 시선을 옮기니 걱정하는 표정이 보였다.

"동작이 상당히 딱딱한데."

"아, 응……."

겨우 고개를 끄덕였다. 베디는 어색한 동작을 긴장했다고 해석했다.

"좀 위태위태한데, 정말로 괜찮나?"

세 번째 확인. 다른 전사의 눈에는 내 전투 방식이 기묘해 보였나 보다.

"응, 괜찮아."

"……뭐, 그래. 일단 안 다치고 쓰러뜨렸으니까. 그럼 모두 앞으로 가자!"

전사들이 움직였다. 주위를 둘러보니 다른 마물은 없었다. 나는 숨을 내쉬고 베디 일행을 따라갔다.

제일 안쪽에 도착하기까지 전투가 반복됐다. 두 번째 이후로 긴장감이 점차 희미해졌고 조금씩이나마 몸도 내 뜻대로 움직이기 시작했다.

"으앗……!"

물어뜯으려는 회색 토끼를 백스텝으로 피했다. 마음이 진정되고 몸도 내 뜻대로 움직이니 전투할 때마다 마물의 움직임이 이해됐다.

장기에 침식된 마물은 사고방식이 단순해지는지 비슷하게 움직였다. 기본적으로 게임과 비슷한 패턴이 대부분이었다.

"아, 오늘은 많은데?"

베디가 귀찮아하며 말했다. 앞을 보니 또 회색 토끼 무리가 있었다.

몇 번째일지 모를 전투. 이번에는 처음부터 내 뜻대로 싸우기로 했다.

"—왼쪽으로."

짧게 중얼거리며 몸을 틀어 토끼의 돌진을 피했다. 회색 토끼의 거동을 보고 어떻게 행동할지 읽었는데 훌륭한 정답이었다.

이어서 반격에 나섰다. 몸에 힘을 주는 순간— 게임에서 사용한 연속공격이 떠올랐다. 장검 기술 중 하나인『연속 베기』에『홀리 샷』으로 추가 공격. 그리고 결정타로 세로 베기를 먹이는 합계 4연타.

머릿속으로 물 흐르는 듯한 움직임을 그리고 공격했다. 주문을 외우기 시작하고 회색 토끼가 움직이기 전에『연속 베기』를 넣었다.

스샥, 피부를 가르는 소리가 났다. 다만, 검이 얕게 들어갔다. 발을 잘못 디딘 모양이지만, 신경 쓰지 않고 빛의 탄환을 쏴서 마물의 움직임을 막았다.

"이걸로—!"

마지막 공격. 세로로 파고드는 검에 회색 토끼는 먼지가 됐다.

"상태 좋은데!"

베디가 말했다. 눈을 마주치니 그가 웃었다.

"지금 움직임, 꽤 좋았어. 근데 몸에 힘이 많이 들어간 거 아닌가? 땀이 엄청 난데?"

그의 지적에 왼쪽 소매로 목덜미를 훔쳤다.

"뭐, 목적지까지 얼마 남지 않았어. 힘들만도 하지."

그렇게 말한 베디는 다른 전사에게 앞으로 가자고 말했다. 한편 나는 검을 쥔 손에 필요 이상으로 힘이 들어간 것을 깨달았다. 첫 전투와 비교하면 꽤 나아졌지만, 긴장했다.

온몸의 힘을 빼며 생각했다. 마물의 동작으로 공격 방법을 읽으면 몸이 생각대로 움직여줬다. 다만, 그 지식에만 기대는 것은 좋지 않다는 생각이 들었다. 프로그램대로 움직이는 게임과 달리, 마물에게는 의사가 있었다. 예상치 못 한 공격을 할 수도 있었다.

"가장 명령을 충실하게 따르는 마법 생물이라면 일정 패턴으로 움직이려나?"

루온의 지식을 끌어냈다. ―흙과 바위 등으로 사람의 형상을 만든 골렘 같은 마법 생물이라고 불리는 존재는 일정하게 움직이는 경우가 대부분이었다.

"좋아, 드디어 도착했군. 가자."

베디가 동료들에게 고하자― 우리는 아직 발을 디뎌본 적 없는 유적의 가장 깊은 곳으로 나아갔다.

그를 선두로 조금씩 나아갔다. ―제일 안쪽에는 보물과 보물을 수호하는 마물이 있었다. 이른바 보스로, 유적 안에서 나오는 일반 적과 비교해 상당히 강했다.

게임에서는 같은 유적이어도 들어가는 타이밍에 따라 적이 바뀌었다. 이야기 초반에 들어가면 적이 약하고, 후반이 되면 강한 마물이 출현했다. 마법 생물이 보스인 유적의 경우, 종류는 바뀌지 않지만 더 강해졌다.

이 유적도 같을 것이라고 생각했을 때, 눈앞에 좌우 여닫이문이 나타났다.

"이 문…… 함정이 설치돼 있군."

베디가 말했다. 나를 포함한 모든 전사가 그에게 주목했다.

"예전에 다른 유적에서 이런 문을 봤어. 힘으로 막지 않으면 문이 자동으로 닫히고 잠기는 구조야. 그리고 안에는 강한 마물이 있어. 침입자를 가두고 마물로 처리하는 수법이지. 두 사람은 문을 막고 있어 줘."

베디가 전사 두 명에게 지시를 내리자 두 사람이 문에 손을 댔다.

"루온, 잠깐 괜찮나?"

그리고 문을 열기 전에 베디가 나를 불렀다.

"혹시나 피부가 튼튼한 마물이 있으면 네 검과 힘이 필요할 수도 있어. 부탁한다."

"……검?"

"정신 좀 차려주라. 그 검, 큰맘 먹고 산 거잖아? 마력을 주입하면 검이 더 날카로워진다고 말했잖아."

그 말에 내 검을 바라보자— 갑자기 기억이 되살아났다.

베디의 말대로 이 검은 평범한 철검이 아니었다. 마력을 주입하면 더 튼튼하고 예리해지는 효과가 부여됐다.

회색 토끼 정도의 마물이면 쓰지 않아도 문제없지만, 강력한 마물이면 필요하지 싶었다.

"아, 응. 알았어."

"좋아…… 그럼 거기 둘, 문을 열어."

전사들이 지시를 받고 문을 열었다. ……안은 암흑이었다. 빛을 만든 전사가 빛을 실내로 던지자 보인 것은—.

"골렘이네."

베디가 말했다. 한쪽 무릎을 꿇은 사람을 본뜬 거대한 인형이 하나 있었다. 색은 갈색이지만, 먼지를 뒤집어써서 종류는 알 수 없었다.

소재를 알면 얼마나 강한지 추측할 수 있는데…… 골렘을 관찰하며 나는 베디와 전사들에 이어 안으로 들어갔다.

"안쪽에 보물 상자가 있어."

한 전사가 말했다. 그렇다면, 하고 베디가 크게 고개를 끄덕였다.

"좋아, 신중하게 움직여서 보물을—."

그때였다. 갑자기 골렘이 움직였다.

문을 막은 두 사람을 제외한 전원이 검을 겨누자 골렘이 일어섰다. 먼지를 흩날리며 똑똑히 모습을 드러냈다.

골렘을 구성하는 몸은 바위, 돌, 모래 종류가 있다. 골렘의 힘은 소재가 얼마나 마력을 담을 수 있는 지로 정해진다.

눈앞에 있는 골렘은 연갈색 몸에 자줏빛 눈으로 침입자인 우리를 둘러봤다.

연갈색 몸…… 여기서 확신했다. 게임에서 이런 색의 골렘은 하나뿐이었다. 이름은『샌드 골렘』— 골렘 중에서도 중급으로 시나리오 중반 정도에 나오는 난적이었다.

"—퇴각한다!"

베디의 결단은 빨랐다. 눈앞의 골렘이 강적임을 즉각 이해하고 퇴각을 선택했다. 전사들은 그 지시에 따라 움직였다. 하지만 샌드 골렘도 움직이기 시작하며 오른 주먹을 휘둘렀다.

그 커다란 덩치로는 예상할 수 없을 만큼 재빨랐다. —나는 반사적으로 옆으로 피했지만, 베디는 피하는 게 늦었다. 얼른 검의 면을 방패 대신 삼아 방어 자세를 잡았다.

검에 샌드 골렘의 주먹이 격돌했다.

"윽!"

베디의 신음, 동시에 날카로운 소리— 검이 부러지고 그의 몸이 방 밖으로 날아갔다.

경이로운 주먹의 위력이었다. 부러진 검끝이 바닥에 떨어지며 금속소리를 냈고, 샌드 골렘은 다음 표적을 발견했다. 바로 문을 막은 두 사람이었다.

방에 들어온 전사들은 나를 제외하고 이미 모두 탈출했다. 나는 조금 전의 공격 때문에 옆으로 도망치는 바람에

문까지 조금 거리가 있었다.

이대로 가면 어떻게 될지— 등줄기가 서늘해졌다.

"자, 잠깐!"

나도 모르게 외쳤다. 그것이 골렘에게 하는 말인지, 두 전사에게 하는 말인지는 나도 알지 못했다.

다음 순간, 골렘이 주먹을 휘두르려고 하자 문을 막던 두 전사가 손을 떼고 피했다. 힘차게 문이 닫혔다. 찰칵— 문이 잠기는 소리가 난 뒤, 골렘의 주먹이 문을 때렸다.

배를 울리는 둔탁하고 묵직한 굉음이 실내를 채웠다. 문은 튼튼해서 부서질 기척이 없었다. 게다가 골렘의 주먹도 손상되지 않았다.

그리고— 나는 홀로 방에 남겨졌다.

"거, 거짓말이지……?"

목소리가 떨렸다. 공포로 온몸이 차가워지고, 당황했다.

골렘은 곧바로 나를 향해 몸을 돌렸다. 나는 황급히 검을 겨눴다. 순간, 공포로 이가 딱딱 부딪히는 것을 억지로 참았다.

"어, 어떡하지……?"

『유이치』가 가진 지식으로 샌드 골렘의 특성은 알지만…… 루온에게는 강적이었다. 주먹에 제대로 맞으면 무사하지 못할 것이다. 아니, 죽는다.

피하는 수밖에 없지만, 샌드 골렘이 보여준 조금 전의 동작은 재빨랐다. 피할 수 있을까……?!

한 걸음, 샌드 골렘이 움직였다. 바닥을 뭉개버릴 기세의 발소리가 귀에 들어오자 위험하다는 생각에 반사적으로 후퇴했다. 그 순간, 골렘이 사납게 덤벼들었다!

동시에 오른 주먹을 치켜들었고— 게임에서 본 동작이라고 생각하며 필사적으로 머리를 굴려 몸에 명령을 내렸다.

"움직, 여……!"

스스로에게 말을 걸며 도망치자마자 골렘이 내가 서 있던 곳으로 주먹을 내질렀다. 주먹이 만든 바람이 뺨에 닿았다. 만약 그 자리에 서 있었다면 어떻게 됐을까 상상하니 등에 진땀이 났다.

"피할 수 있을 것, 같은데……!"

그렇게 중얼거리는 사이에 골렘이 왼 주먹을 휘둘렀다. 오른쪽과 거의 같은 움직임— 사느냐 죽느냐의 갈림길. 전력으로 머리를 굴려 주먹의 궤도를 예측했다.

날아오는 주먹의 반대쪽으로 발을 뻗어 스치듯이 회피했고, 주먹은 허공을 갈랐다.

이때, 몸이 멋대로 움직여 검날에 마력을 주입했다. 반격— 나는 흐름을 탔다. 마법을 쓸 때와 다른, 전류가 달리는 느낌—.

"—우오오오!"

쥐어짜낸 목소리와 함께 마력이 팔을 지나 검으로 흘러갔고, 나는 골렘의 복부에 검을 찔러 넣었다!

굳은 모래를 씹는 것 같은 감촉이 검 끝을 따라 전해졌다. 골렘의 단단한 표면에 손 전체가 저릿할 정도였으나 상관하지 않고 휘둘렀다. 그 순간, 검날에 주입한 마력의 일부가 검에서 떨어져 하얀 마력의 잔재가 눈앞에 흩날렸다.

서 있는 위치가 바뀌었다. 조금이라도 먹히지 않았을까 했는데, 난단한 몸에 검으로 금을 그었을 뿐. 녀석은 아무렇지도 않은 모양이었다.

"공격이 먹힌다는 걸 안 것만 해도 다행인가……."

팔의 저릿함이 완전히 사라지지 않았지만, 다시 검을 겨눴다. 골렘은 나와 마주했지만, 아까처럼 공격하지는 않았다. 공격당해서 경계하나?

그러나 이것은 생각할 기회—.

"어떻게 쓰러뜨리지……?"

골렘 같은 마법 생물에게는 명확한 약점이 있다. 동력원인 코어다. 루온이 가진 이미지에 의하면 점칠 때 쓰는 수정구 같은 모양에 색은 각양각색. 흉부 혹은 머릿속에 있는 그것을 파괴하면 격파할 수 있다.

"게임에서는 일정 이상의 대미지를 줘서 쓰러뜨렸는데…… 역시 그렇게 간단하게는 안 되겠지. 아니, 급소를 노리면— 한 방이라는 걸 생각하면 알기 쉬워서 좋나?"

골렘은 아직 상황을 지켜보고 있었다. 그 와중에 결론을 내렸다.

도망치지 못하니 싸워야 했다. 『유이치』가 가진 지식과 루온 마딘의 능력. 두 개를 이용해 눈앞의 강적을 쓰러뜨리는 수밖에!

결심한 직후, 샌드 골렘이 움직였다. 땅 울림이 느껴지는 걸음과 함께 오른 주먹을 날렸으나 동작의 흐름이 조금 전과 완벽히 똑같았다. 몸을 틀어 피할 수 있었다.

마법 생물이라 동작이 획일적이었다. 이런 상황이라면 게임 지식이 큰 도움이 될 것이다. 극도의 긴장 상태로 언제까지 움직일 수 있을지 불안 요소가 있지만, 해야 했다.

주먹을 휘두른 골렘에게 허점이 생겼다. 앞으로 나가는 게 무서웠다. 하지만 반격하지 않으면 절대로 이기지 못한다—.

"읏, 직여……!"

등에 차가운 것이 흘렀다. 내 의지로 골렘에게 접근해 세로 베기를 먹었다. 서걱, 소리를 내며 검이 표면을 깎았다.

샌드 골렘은 반격하려고 했으나 공격을 끝낸 나는 얼른 물러나 공격 범위에서 벗어나는 데 성공했다. 하지만 공격은…… 역시나 거의 효과가 없었다.

—예를 들어 유적 안에 있던 장기로 광폭화된 마물이라면 대미지를 입히는 만큼 움직임이 둔해진다. 하지만 마법 생물인 골렘은 달랐다. 코어를 파괴하지 않는 한은 문제없이 움직일 터였다.

"이대로 몸을 깎아봤자 의미가 없어. ……다리라도 공격해서 못 움직이게 해야 하나?"

전술로 다리를 노리는 것도 하나의 방법이었다. 하지만 골렘의 다리는 체구에 맞게 두꺼워서 파괴하기까지 상당한 시간이 필요했다.

"그렇다면 장기전…… 할 수 있을까?"

나는 지금 체력을 보존할 여유가 없었다. 그리고 망설일 시간도—. 나는 어떻게 움직일지 결단하고 마법을 쓰고자 마력을 높였다. 그러자 샌드 골렘이 주먹을 들어 나를 짓눌러버리려고 했다. 기를 모으거나 마법을 쓰려고 했을 경우에 대한 카운터 공격이었다.

빠르지만, 올 것을 알면 대처할 수 있었다. 즉각 백스텝을 밟았다. 부츠가 바닥을 울리는 소리가 들리고— 동시에 골렘의 주먹이 내가 서 있던 곳을 내리쳤다.

혼신의 일격은 실내를 크게 흔들었다. 그러던 중, 나는 왼손을 골렘을 향해 뻗으며 외쳤다.

"—빛이여!"

주문을 완성하고 『홀리 샷』을 발사했다. 눈부신 빛이 상상한 궤도를 그리며 흉부에 직격했고, 바위가 조금 부서져 바닥에 떨어졌다.

하지만 코어는 없었다.

"더 안쪽에 있나……?"

골렘과 거리를 두며 내 몸을 확인했다. 호흡과 맥박이 빠르지만, 아직 움직일 수 있었다. 마력도 여유로웠다. 단, 한 번이라도 공격당하면 죽는 게 거의 확실했다. 신중하게 움직이고 싶지만, 그렇다고 소극적으로 나서면 위험했다.

샌드 골렘은 흥분 대미지를 신경 쓰지 않고 내게 다가왔다. 주먹을 휘두르는 궤도를 아니까 이번에는 다소 여유롭게 옆으로— 그러나 추가 공격이 기다렸다. 골렘이 주먹을 당겨 정권 지르기 자세를 잡았다.

이 공격은 게임에서는 위력이 최고지만, 쓴 뒤에 큰 허점이 생겼다. 그래서 나는 검을 세게 쥐고 나를 북돋듯이 소리 질렀다.

"와라—!!"

공격이 엄습했다. 이때까지의 공격에 비해 속도가 빨라서 지식이 없으면 못 피했을지도 모른다.

그러나 나는 기억에 의지해 피했고— 골렘에게는 명확한 허점이 생겼다. 순간, 게임에서 사용했던 연속공격이 머리에 떠오르고 몸이 움직였다.

"받아라—!!"

공포를 떨치기 위해 소리 지르며 골렘의 흥부에 내리친 일격. 이어서 재빠르게 위로 솟구쳐 올리는 듯한 검극—『연속 베기』를 먹였다.

"빛이여!"

거기에 『홀리 샷』을 발사해 빛의 탄환이 바위에 맞은 순간, 검으로 다시 추가 공격— 그 순간, 확실한 반응이 느껴졌다.

흉부가 크게 부서지고, 드디어 그 안에서 푸른 수정구 같은 코어가 나타났다.

"좋았어!"

기합 소리와 함께 거리를 뒀다. 이때, 골렘이 주먹을 거두고 내게로 몸을 돌렸다.

"코어는 노출됐고…… 다음은……."

목표를 조준해 파괴할 뿐. 하지만 그러려면 아까처럼 품으로 파고들어야 했다. 큰 허점이 생기는 정권 지르기를 기다릴까, 아니면—.

그렇게 생각하던 순간이었다. 샌드 골렘이 갑자기 아까 이상의 기세로 발을 앞으로 내디뎠다. 충격으로 바닥이 갈라졌고 파편을 흩날리며 몸통을 부딪치려고 했다!

"윽……?!"

게임에 있는 동작이었으나 놀라서 대응이 한발 늦었다. 옷이 스쳤지만, 간발의 차이로 도망쳤다. 넘어질 뻔하다가 필사적으로 태세를 가다듬었다.

"공격 패턴 변화……?!"

몸통박치기라는 공격은 분명 대미지를 받아 궁지에 빠졌을 때 썼을 터— 코어가 노출돼서 패턴이 바뀌었나?!

그렇다면 어떻게 움직여야 하나 생각하려던 순간, 검을

든 팔에 힘이 빠지고 검 끝이 지면에 닿으려 했다.

"윽……?!"

서둘러 고쳐 잡았다. 그러자 이번에는 어깨에 무거운 피로가 실렸다. 조금 전의 공방으로 결국 몸이 비명을 지르기 시작했다.

분명 본래의 루온이라면 이러지 않았으리라. 『유이지』의 의식이 루온의 몸을 상당히 혹사시켰다.

숨을 천천히 내쉬었다. 맥박은 조금도 가라앉지 않았고 몸은 여전히 긴장의 한복판에 있었다. 만약 전력으로 움직인다면…… 한 번이 한계일 것 같았다.

"선택하라는 거냐고……."

이대로 한계에 가까운 몸을 채찍질해서 싸울 텐가, 남은 체력을 짜내 한 방으로 승부를 볼 텐가. 나를 살피는 샌드 골렘을 노려보며 필사적으로 생각했다.

가장 큰 문제는 노출된 코어의 강도가 어느 정도인지였다. 접근해서 검을 맞출 수는 있지만, 부술 수 있을까. 실패하면 궁지에 빠진다. 한 번 공격하고 후퇴하는 게 최선이지만, 체력적으로 한 번 더 파고들 수 있을지 의심스러웠다.

그렇다고 코어를 한 방에 부술 공격방법이…….

"……아."

그때, 문득 루온이 여행 중에 습득하려고 한 중급 마법이 머리에 떠올랐다.

"아니, 안 돼. 수련은 계속 하고 있지만, 발동한 적은 한 번도—"

그러나 그 직후, 마치 사용하라는 듯이 몸에서 마력이 솟구쳤다.

몸은 한계에 가깝지만, 마력은 여유로웠다— 라기보다는 마력은 피로와 반대로 남아돌았다. 루온의 기억에도 전례가 없을 정도였다.

어째서인지 이유를 알고 싶었지만, 샌드 골렘을 보고 전부 억눌렀다. 지금은 눈앞의 적을 우선할 때였다.

몸이 하라고 대답했다. 그렇다면—.

"……내 안에 잠든 반짝임이여."

그 순간, 왼팔에 마력이 모이고 샌드 골렘이 경계했다.

루온은 중급 마법을 습득하고자 훈련해왔다. 지금부터 쓸 마법은 마력을 다듬는 방법도 훈련했다. 충분한 마력— 그래서 쓸 수 있다고 확신했다.

"나의 힘은 마를 부정하는 검이 된다— 빛의, 검이여!"

그렇게 외치며 왼손에 모은 마력을 밖으로 끄집어냈다. 기억은 늘 여기서 실패했다. 하지만 다음 순간, 손끝에서 빛이 넘쳐흘렀다.

팔이 불타듯이 뜨거워 이를 악물고 견뎠다. 이윽고 장검의 형태를 갖추고 완성된 것은 빛 속성 중급 마법—『뒤랑달』. 빛의 검을 만들어 상대를 공격하는 마법이었다.

마법 발동에는 성공했지만, 왼손만으로 제어하지 못해 오른손에 든 검을 던져버리고 양손으로 유지했다. 땡그랑, 검이 바닥 위를 춤추자 골렘이 한 걸음 내디디며 나를 뭉개버리려고 오른팔을 내리쳤다.

그러나 몸을 오른쪽으로 움직여 종이 한 장 차이로 피했다. 골렘의 공격으로 생긴 바람을 온몸으로 느끼며 파고들었다.

"으아아아아아앗!"

기합을 외치며 반격— 골렘에게 육박해 빛나는 하얀 검을 휘둘렀다. 지금 이 순간, 빛의 검을 만들었다는 흥분이 공포를 웃돌아 피로마저 망각했다.

빛이 골렘의 어깻죽지를 비췄고, 나는 온 힘을 다해 빛의 검을 가로 휘둘렀다. 검이 바위를 가볍게 가르고 마침내 코어에 공격을 가했다. 순간, 손에 반응이 오며 수정이 부서지는 소리가 들렸다.

해냈다……. 확신과 동시에 팔이 저릿해지며 마법이 끊겼다. 만약 반격한다면, 더 이상— 그런 생각도 했지만, 기우였다.

샌드 골렘은 멈췄다. 순간 몸을 움찔거렸으나 이내 힘을 잃고 천천히 뒤로 넘어졌다.

쿠웅…… 골렘의 거구가 방을 뒤흔들며 쓰러졌다. 완전히 움직이지 않게 된 샌드 골렘에서 느껴지던 마력이 사라졌다.

"……이겼다."

중얼거림이 흘러나왔다. 처음에는 멍하니 있었지만, 머리가 점점 이해하자 나는 크게 외쳤다.

"이겼어! 내가…… 샌드 골렘을……!"

나도 모르게 얼굴이 풀어졌다. 아무도 없는 공간에서 승리포즈까지 취했다.

"굉장해……. 아니, 루온의 기억이 있어도 어제까지 검을 쥔 적도 없는데 이런 마물을—"

거기까지 중얼거린 순간, 갑자기 방을 밝히던 빛이 사라졌다. 눈앞이 순식간에 새까매졌다.

"으악?!"

시간이 다 돼서 효과가 사라진 모양이었다. 서둘러 주문을 외워 빛을 만들었다. 그러고서야 겨우 흥분한 머리가 식기 시작했다.

나도 모르게 그 자리에 주저앉았다. 마력은 있지만, 체력은 아슬아슬했다.

"좀 쉬자……."

숨을 내쉬었다. 빛이 감도는 공간에서 시선을 옮기며 몸 상태를 확인했다. 아까까지 작열하는 것 같았던 양팔은 딱히 문제가 없었다. 다리와 몸도 무사했다.

골렘이 부활하면 어떡하나, 무섭기도 했지만…… 다행히 그런 일은 일어나지 않았다. 나는 15분 정도 있다가 일어났다. 던져버린 검을 줍고 문을 봤다.

"일단 나갈 수 있는지 확인해야겠어."

입구로 다가갔다. 갇혀버렸지만 마물을 쓰러뜨렸으니 나갈 수 있지 않을까?

문에 손을 대자 시원하게 열렸다. 게다가 아까와 다르게 멋대로 닫히지도 않았다. 구조가 어떻게 된 건지는 몰라도 나갈 수 있다는 건 분명했다.

"다행이다. 그럼—."

뒤를 돌아 움직이지 않는 샌드 골렘을 지나 제일 안쪽에 있는 보물 상자 앞에 섰다.

"나 혼자 쓰러뜨렸으니까 독식해도 되겠지?"

함정이 있는지 먼저 확인하고…… 천천히 상자를 열었다.

보물 상자 안에서 빛이 났다. 나는 재빠르게 물러나 반사적으로 자세를 잡았다.

이내 빛이 사그라지고…… 아무 일도 일어나지 않았다. 의아해하며 다시 보물 상자에 다가가자—.

"후우, 드디어 나왔네!"

여자 목소리가 들렸다. 보물 상자를 들여다보니—.

"오, 안녕. 구해줘서 고마워."

그 안에는 틀림없는 천사가 있었다.

흰 바탕의 옷을 입고 등에 투명한 날개를 단, 갈색 머리카락을 가진 천사. 갈색 머리카락이지만, 나와 비교해 훨씬 색이 옅고 길이는 어깨 정도였다.

외모 나이는 10대 중반 정도였다. 눈동자 색은 검다기보다는 회색에 가까웠다. 외모는 미소녀라는 말이 어울릴 정도로 모나지 않고 단정했다.

하지만 문제가 한 가지 있었는데…… 작았다.

내 손바닥에 올라올 정도로. 판타지 소설에 나오는, 모험가의 여행을 안내하는 요정만 한 크기였다.

"이 보물 상자 안에 봉인돼 있었는데 나는 열 수가 없었어. 정말 고마워."

천사가 감사를 표했다. 나는 뭐라 대답해야 할지 잠깐 망설이다가…… 신경 쓰이는 단어를 물어봤다.

"……봉인이라니?"

"이 유적의 주인…… 그러니까 내 마스터인데, 큰 전투가 있다며 나를 이 상자에 봉인했어."

그렇게 말한 천사가 갑자기 허공에 떠올랐다. 날개를 파닥거리지도 않았다. 마법으로 공중에 떠 있었다.

"모든 게 끝나도 마스터가 돌아오지 않아서 결국 나는 계속 보물 상자가 열리기를 기다려야 했어."

그녀는 골렘을 잠시 바라보다가…… 내게로 시선을 돌렸다.

"은인. 이름은?"

"……루온 마딘."

"내 이름은 유노. 참고로 유적 안이 어떻게 됐는지는 의식을 띄워서 확인했거든. 당신의 활약도 똑똑히 봤어."

유노가 방긋 웃었다. 나는 「그렇구나」라고 맞장구치며 생각했다. 천사의 출현에 당황하지 않을 수 없었다.

"저기, 하나 물어봐도 돼?"

유노가 물었다. 나는 고개를 끄덕였다.

"아까 당신이 어제까지 검을 쥔 적도 없다고 했는데, 그게 무슨 말이야?"

……으, 이런.

나를 보고 있었다는 것은 내가 한 말도 들었다는 뜻이었다.

"그리고 이 골렘과 싸울 때 특히 두드러졌는데…… 상대방의 움직임을 보고 어떤 공격을 할지 확실하게 아는 것 같았어."

큰일이라고 솔직하게 생각했다.

어제까지의 일을 이야기하는 건 조금 꺼려졌다……. 아니, 애초에 사정을 설명해도 제대로 이해해줄까?

"뭔가 복잡한 사정이 있는 것 같은데."

"……믿지 못할 거라 생각해."

"괜찮아, 괜찮아. 꼭 말해줬으면 좋겠는데—."

유노가 고개를 갸웃거리고 말했다. 그 몸짓이 애교스러웠다. 마을에서 보여주면 인기인이 되겠는데?

……거짓말로 얼버무릴 방법이 떠오르지 않고, 거짓말을 해봤자 그녀가 간파할 거란 예감도 들었다. ……어쩔 수 없지—.

"알았어. 그런데 너는 이해하지 못할 이야기일걸?"

"해봐, 해봐."

유노가 재촉했다. 나는 한숨을 한 번 내쉬고…… 이야기 하기 시작했다.

"—흠, 과연. 즉 이런 거지?"

우리는 쓰러진 골렘 곁에 앉아 있었다.

"어제까지 당신은 『유이치』라는 이름으로 다른 세계에 있었어."

"응."

"그리고 다른 세계에서 이 세계는 『게임』이라는 이야기였고."

"응, 맞아."

"무슨 인과인지는 몰라도 당신은 『게임』 세계에, 게임 등 장인물로 오게 되었어."

"정답. 갑자기 쓰러진 어제까지의 내가 어떻게 됐는지는 모르지만…… 의식을 잃기 직전에 뚜렷한 죽음의 공포를 느꼈어. 그러니까 전생한 게 되나?"

"흠흠."

유노가 수차례 고개를 끄덕이며 내 설명을 들었다.

"흥미로운데? 그래서 전생하고 처음으로 한 게 이 유적 탐색이었다는 거지?"

"응. 루온 마딘의 기억과 어제까지의 『유이치』가 보유한 기억이 있어서 이렇게 샌드 골렘을 쓰러뜨릴 수 있었어."

내 말에 유노가 움직이지 않는 골렘을 봤다. 나는 그녀를 보며 의문을 입에 담았다.

"……루온의 의식은 어디로 갔을까?"

"응? 의식?"

"지금의 루온은 다른 세계에 있던 어제까지의 『나』의 기억에 기초해 움직였을 거야. 그러면 어제까지 이 세계에 있었던 루온의 의식은 어디로 갔을까?"

"그야 간단하지. 당신은 어제까지의 『유이치』이면서 루온이기도 해."

"……무슨 말이야?"

내가 그렇게 되묻자 유노가 설명을 시작했다.

"내가 유적 안이라면 의식을 띄워서 이것저것 볼 수 있다고 했지? 그렇게 해서 어제까지의 당신들도 봤어. 그런데 어제까지의 당신과 오늘의 당신은 한 가지 다른 점이 있어."

"다른 점?"

"안에 품은 마력의 질과 양."

"으응?"

고개를 갸웃거리자 유노가 설명을 계속했다.

"나는 마법으로 타인의 마력의 흐름을 포착할 수 있어. 원래는 접촉하지 않으면 알지 못하지만, 이 유적 안에서는 효과가 증폭해서 당신과 동료들의 마력도 해석할 수 있었어.

그래서 어제까지의 루온과 비교하면 오늘의 당신은 마력의 질이 달라. 하나의 몸에 또 하나의 의식이 깃들고 융합해서 하나가 됐어. 덧붙이자면 양도 많아졌어."

"융합이라는 말은……."

"어제까지의 루온 마딘은 사라진 게 아니야. 당신은 어제까지 『유이치』였지만, 거기에 루온의 의식도 분명히 존재한다는 거야."

……그렇게 말해도 당장은 납득할 수 없지만, 조금 전의 전투를 돌이켜보고 한 가지 짐작 가는 점이 있었다.

"그렇구나! 『유이치』의 마력이 몸에 깃들어서 『뒤랑달』을 쓰게 된 거야."

"아까 쓴 빛의 검?"

"응. 단번에 마력이 늘어나서 이제까지 발동하지 못했던 중급 마법을 쓸 수 있게 됐어."

내가 왜 이 세계에 왔는지는 모르지만…… 여하튼 설명은 무리겠지. 여유가 생기면 조사해볼까.

"그래서 당신은 앞으로 어떡할 거야?"

유노가 질문했다. 나는 다시 생각했다. ……이 대륙은 언젠가—.

"그러게……. 사실은 자유롭게 여행이라도 하고 싶은데 어려울 것 같아."

"왜?"

"몇 년 뒤에 마왕이 이 대륙을 습격해 올 거야."

가볍게 한 말에 유노가 눈을 동그랗게 뜨고 침묵했다.

"이건 게임 속에서 정해진 일이니까 아마 막기는 어렵다고 봐……. 좋아, 결정했어. 앞으로는 그 대책을 생각하자."

"당신 혼자서 할 수 있을 거라 생각해?"

"인간 쪽은 총력을 결집해서 씨울 기야. 나는 그걸 도울 거야……. 이야기 흐름을 아니까 뭔가 할 수 있는 게 있겠지."

지금의 루온으로는 마족을 공격해봤자 순식간에 살해당할 뿐이었다. 적어도 어느 정도의 힘이 필요했다. 게임에서는 스테이터스 한계까지 키울 수 있었다. 현실이 된 지금, 똑같이 할 수 있을지 모르지만…… 전생하고 얻은 힘과 『유이치』의 지식이 있었다. 어떻게든 될 것 같은 기분이 들었다.

"……그렇구나. 알았어."

그리고 유노가 선언했다.

"그렇다면 나도 도울게."

"뭐? 돕는다고?"

"돕겠다고 했지만, 나는 전투능력이 거의 없으니까 할 수 있는 건 적을 거야. 당신 혼자서 이것저것 하는 것보다는 낫겠지. 그리고 상담할 사람도 필요하지 않아?"

그, 글쎄……. 다만 뭐, 혼자서 생각하는 것보다는 나을지도 모르겠다. 그녀는 내 사정을 알았다. 상담할 사람으로는 안성맞춤이었다.

"그리고 나는 이 세계가 어떻게 됐는지 보고 싶어. 이 대륙이 어떻게 됐는지, 맛있는 음식은 있는지, 그런 거."

어째 지금 말한 게 메인인 것 같은 기분이 드는데…… 뭐, 그래.

"……알았어. 잘 부탁해, 유노 씨."

"이름만 불러도 돼. 대신 나도 그렇게 불러도 되지?"

"그래, 상관없어. ……잘 부탁해, 유노."

"잘 부탁해, 루온."

……어제까지는 상상도 하지 못한 일이 연속으로 발생하고 있었다. 여러모로 생각해야 하는 일이 계속 일어났다. 하지만 그 이상으로—

"루온? 왜 그래?"

"아니, 아무것도 아니야."

내 침묵에 유노가 반응하자 나는 쓴웃음을 지으며 대답했다.

유적으로 오면서 본 압도적인 풍경을 떠올렸다. —그것은 나의 이상적인 세계.

어제까지의 『유이치』는…… 명확한 죽음의 공포가 있었으니 분명 돌아갈 수 없는 사람이 됐으리라. 그 덕분인지, 아니면 대가인지…… 새로운 인생을 보내게 됐다.

어제까지의 세계— 이른바 이전 세계와는 너무나 다른 세계. 불안하기도 하지만…… 나는 이상향에서 살아갈 의지를 굳혔다.

"일단 다른 전사들과 합류하자."

"그래!"

내 말에 유노가 대답하고 날아올랐다.

―이리하여 천사 유노를 데리고 루온 마딘으로서의 인생
이 시작됐다.

제2장 힘을 찾아서

유적을 나와 밖으로 도망친 베디 일행과 합류했다. 그들은 내 생존에 놀라고 유노를 보고 두 번 놀랐다.

이 대륙에는 정령이 많이 살아서 마을에서 지내다 보면 요정처럼 생긴 존재를 종종 볼 수 있었다. 그래서 그녀가 보물 상자에 있었다고 말하자, 전사들은 그녀를 흔쾌히 받아 줬다.

"과연. 그녀에 대해서 말인데."

설명을 마치자 베디가 입을 열었다.

"루온과 사이가 좋은 것 같으니 유적 제일 안쪽 보물은 루온이 가지면 되겠군."

"그래도 돼?"

"애초에 천사님을 분배할 수는 없잖아."

지당하십니다. 유적 탐색을 종료하고 돌아가기로 했다.

"마을로 돌아가서 해산하자."

베디의 제안에 나를 포함한 전원이 고개를 끄덕였고, 아까 온 길을 되짚으며 마을로 돌아가 해산했다.

"루온, 기회가 있으면 또 같이 일하자."

"그래."

마을을 떠나는 베디에게 대답하고 배웅했다. ……이윽고 주위에 아무도 없어졌을 때, 유노가 내게 물었다.

"저기, 루온. 저 사람들은 동료 아니야? 앞으로도 같이 싸울 줄 알았는데."

"동료라기보다는 동업자? 이번에는 유적에 들어간다는 목적이 일치해서 같이 행동한 거야."

원래 루온은 가장 안쪽에 잠들어 있는 『아티팩트』를 손에 넣기 위해 이번 탐색에 참여했다. 집을 부흥시키려면 자금과 힘이 필요했기 때문에…… 그것을 얻기 위해 행동했으리라.

"……게임에서 루온은 유노를 데리고 있지 않았어."

나는 마을 입구에 서서 말을 흐렸다.

"즉 게임에서는 유노를 구하지 않았다는 거야."

"만약 안 구해줬으면 계속 보물 상자 안에 있었겠네. 상상도 하기 싫어."

"그러게……. 자, 그럼 앞으로 어떡할까?"

"과제는 산처럼 쌓였지. 근데 그 전에 이야기해줘."

"이야기?"

"응. 루온이 이 세계에 온 경위는 들었지만, 마왕에 관해서는 아직 못 들었잖아."

"알았어. 먼저 마왕의 습격을 설명할까?"

그렇게 제안하자 갑자기 내 배가 꼬르륵거렸다. 그러고 보니 아침부터 아무것도 먹지 않았다.

"식사도 겸해서 가게에서 이야기해도 될까?"

"물론이지. 근데 나도 들어가도 돼? 소란이 일어나지 않을까?"

"모험가가 정령과 계약하고 행동하는 일은 꽤 있으니까 받아줄 거야."

루온의 기억에 근거해 설명하며 나는 음식점을 찾기 시작했다.

잠시 뒤, 가게에 들어가 주문을 마쳤다. 앞서 나온 물을 한 모금 마시며 일단 마음을 가라앉혔다. 점원이 유노를 힐끗 봤지만, 반응은 그뿐, 문제없는 모양이었다.

"자, 마왕의 습격에 대해서 말인데…… 사실 징조 자체는 여러모로 있었어."

내가 이야기를 시작하자 유노가 그 말을 이해했는지 작게 고개를 끄덕였다.

"내가 봉인된…… 루온 일행이 천사의 유적이라고 부르는 곳이 나타나기 시작했다는 거지?"

"정답. 그밖에 대륙 각지에서 마물이 늘었다는 정보도 있어. 그리고 이건 게임에서 본 이야기인데 마왕의 부하인 간부급 마족들이 귀족을 회유하고 있어."

"회유…… 그 말은, 마왕이 협력자를 모으고 있다는 거야?"

"맞아. 마왕은 대륙에 도착하자마자 부하들을 이용해 모든 나라를 공격해. 회유된 귀족이 많은 나라에서는 그들의 안내를 받아 단번에 쳐들어가지."

나는 거기서 말을 끊고 가게 안을 한 번 둘러봤다.

"……이 가게와 마을이 영토인 발크스 왕국도 그중 하나야."

"즉, 이 나라는 한 번 망한다고?"

"응. 게임에서는 왕과 딸인 왕녀가 죽고, 살아남은 건 왕녀의 사촌 동생…… 이름이 에이나라고 하는데, 그녀는 게임 주인공 중 한 명이고 마왕을 타도하기 위해 일어나."

"그렇구나……. 그럼 나라의 붕괴를 막으려면 왕에게 사정을 이야기하면 되려나?"

"아니, 그건 무리야. 너무 위험해."

"위험해?"

유노가 되묻자 나는 깊이 고개를 끄덕였다.

"내가 위험해……. 마왕은 그야말로 어느 날 갑자기 습격해. 그 전에 말해도 믿어주지 않을 거야. 예를 들어 내일 이 마을이 용에게 유린당한다고 말을 퍼뜨린들 믿어줄 거라고 생각해? 근거가 하나도 없는데."

"아, 그렇구나. 그것도 그러네."

유노가 이해하고 고개를 끄덕였다. 그 모습을 보며 나는 말을 이었다.

"게다가 마족이 비밀리에 회유하고 있는 귀족들의 존재가 너무 위험해. 그들에게는 내 말이 진실이잖아. 날 위험시할 거고 최악의 경우에는 목숨을 노리는 사태가 될 거야."

"이해했어…… 참고로 회유된 귀족은 어떻게 돼?"

"대다수가 죽거나 장기에 침식돼서 인간과 다른 존재가 됐어."

"으아아, 비참해."

"마족이 금은보화 등을 이용해서 회유했는데…… 뭐, 눈앞의 보수에 낚인 결과지. 자업자득이야."

나는 팔짱을 끼고 의자에 등을 기댔다.

"모험가들에게 그럴 가능성이 있다고 말해봤자 믿지 않을 거야. 소문이 흘러 내가 노려질 가능성도 있어."

"그렇다면 마왕이 습격한다는 걸 누구에게도 말할 수 없다는 거네."

"나를 어지간히 믿어준다면 이야기가 다르지만…… 어렵네."

"그러게……. 아, 루온. 질문 하나 더. 마왕이 언제 오는지 알아?"

"몇 년 뒤라는 말밖에 못하겠어. 구체적인 날짜와 시간은 몰라."

지금 말할 수 있는 것은 마왕이 은밀히 행동을 개시했다는 것, 그리고 전쟁이 일어나는 것은 몇 년 뒤라는 것뿐이었다.

나는 머리를 긁적였다. ……자, 제일 큰 걱정을 이야기하자.

"아까 에이나라는 인물이 주인공이라고 했는데, 게임 주인공은 총 다섯 명이야. 그 중 한 명을 골라서 이야기를 시작하는 거지."

"흠, 흠."

"그중에서 나— 루온 마딘과 연관되는 사람은 딱 한 명. 필리라는 남자야. 그는 신참 모험가인데, 여러 동료 중 루온과 동행할지도 정힐 수 있어."

"즉 루온은 게임 속 주인공이 아니라 조연이구나."

"그것도 그냥 조연이 아니야."

"무슨 말이야?"

심각한 표정을 지은 내게서 불온한 무언가를 느꼈는지 유노가 물었다.

"필리가 총 네 개의 던전을 공략한 다음에 거점 마을이 공격당해."

"호오."

"그리고 루온은 습격한 악마에게 죽어."

"뭐어—?!"

예상 밖이었는지 유노가 요란하게 소리를 질렀다.

"즉, 이대로라면 루온이 죽는다고?"

"내 죽음이 확정되어 있다니 싫어……. 대책으로 주인공인 필리와 연관되지 않는 방법도 있지만……."

"루온이 없어지면 시나리오가 제대로 진행되지 않을 수도 있겠네?"

"그럴 가능성이 없지는 않아. 어쨌든 불안을 불식시킬 방법은 하나야."

"루온이 강해진다, 그거지?"

유노의 지적에 나는 고개를 끄덕였다.

결국은 그거였다. 어차피 죽는다면 그 대책으로 강해져야 했다.

"있지, 마왕이 습격한다는 건 머지않아 이 대륙이 위기에 빠진다는 거잖아?"

"그렇지."

"강해질 거면 차라리 아예 마왕을 쓰러뜨릴 정도로 성장하면 다 해결되지 않아? 루온은 『유이치』라는 전생의 기억과 힘이 있어. 가능할 것 같은데?"

하지만 이야기는 그렇게 단순하지 않았다.

"유노에게 설명하지 않았는데, 나는 마왕을 쓰러뜨리지 못해."

"쓰러뜨리지 못해?"

그녀가 되물었을 때, 음식이 나왔다. 닭고기와 채소 수프가 메인인 런치 메뉴였다. 나는 빵을 한입 물고 말을 이었다.

"이 대륙을 습격하는 마왕을 쓰러뜨리려면 조건이 필요해."

"조건…… 아, 나도 빵 좀 줘. 한 조각이면 되니까."

"그래. ……아, 그러고 보니 나도 궁금한 게 있어."

"뭔데?"

"유노는 정신이 아득할 정도로 오랫동안 보물 상자 안에 있었지? 용케 살아있었네."

"숨만 쉬면 생명은 유지할 수 있거든."

"그렇구나……. 아니, 잠깐만. 그러면 식사할 필요 없잖아."

"천사여도 오락은 필요하다고."

오락…… 먹는 게 오락이라는 건가?

"몸은 작지만, 마스터가 인간처럼 행동할 수 있게 해줬어."

"그러시군요. ……자, 여기."

빵을 건네자 그녀가 기운차게 먹기 시작했다. 작은 동물 같은 귀여운 면이 있다고 생각하며 하던 이야기로 돌아갔다.

"마왕은 과거에 현자에게 봉인됐어. 하지만 마왕은 자신을 봉인한 힘을 거두고 마법을 개발했어. 인간과 정령의 공격이 일절 통하지 않게 만드는 최강의 방어 마법……『엘더즈 로스트』야."

"공격이 통하지 않는다고……? 거기에 대책은 있어?"

"현자의 핏줄을 이은 사람은 그 마법을 통과해서 마왕을 공격할 수 있는 자격이 있어. 아까 게임에 다섯 명의 주인공이 있다고 했잖아? 다섯 명은 서로 교우관계도 뭣도 일절 없지만, 전부 현자의 후예라는 공통점이 있어."

"오, 그렇구나."

유노가 빵을 다 먹었다. 아무 생각 없이 닭고기 조각을 건네자 그것도 기운차게 먹었다.

"음, 맛있어."

"수프도 먹을래?"

"그건 다음에 먹을게. 빵만 좀 더 주라."

"……나한테는 한 조각도 안 되는데 유노에게는 양이 꽤 되네."

"흐흥, 이래 보여도 같은 체급끼리 먹기 시합해서 져본 적이 없다고."

유노가 가슴을 폈다. 천사가 먹기 시합…… 상상하니 기묘한 광경이었다.

"음…… 계속 말할게. 현자의 후예는 마왕을 공격할 수 있지만, 그 이상으로 막아야 하는 마법이 있어."

"마왕이 쓰는 마법?"

"맞아. 마왕이 침공하는 순서를 설명할게. 일단 대륙 각국에 선전포고하고 부하 마족들이 움직이기 시작해. 온 나라를 짓밟는 동안, 마왕은 간부…… 게임에서는 5대 마족이라 불리는 존재들에게 대륙 각지에 거점을 세우게 해."

말을 멈추고 컵에 든 물을 마셨다. 한숨 돌리고 게임을 생각하며 설명했다.

"5대 마족은 마왕에게 현자의 힘을 부여받았어. 그 힘을 이용하면 원래는 반발할 대지의 마력과 자신의 힘을 융합할 수 있게 돼. 5대 마족의 목적은 마왕의 최대 목적을 이룰 준비로 대륙에 힘을 주입하는 거야."

"뭔가 위험해 보이는 계획이네."

"맞아. 마왕은 그 5대 마족의 힘을 이용해서 대륙에 강력한 마법을 써. 그 마법의 이름은 『라스트 어비스』야. 이 마법을 발동하면 대륙이 붕괴해."

"막지는 못해?"

"제일 큰 문제가 그거야."

나는 손가락으로 유노를 가리키고 말했다.

"이 마법을 막으려면 주인공이 5대 마족이 보유한 현자의 힘을 거둬야 해. 각 거점에 있는 그 녀석들을 쓰러뜨리면 현자의 힘이 해방돼서 주인공에게 깃들어. 5대 마족 모두에게서 힘을 가져오면 마왕의 『라스트 어비스』에 대항할 수 있어."

나는 머리를 긁적이며 이야기 정리에 들어갔다.

"일단 주인공 중 하나가 5대 마족을 쓰러뜨려서 『라스트 어비스』를 봉인해. 그러면 『엘더즈 로스트』도 현자의 힘을 각성한 주인공의 힘과 상쇄돼서 현자의 핏줄이 아니어도 공격이 통하게 돼. 이게 제일 좋게 흘러가는 거야."

하지만— 내가 말한 것이지만, 어렵게 느껴졌다.

"으음, 조건이 까다롭네."

같은 견해인지 유노가 팔짱을 끼며 끙끙거렸다.

"그 말은 즉, 주인공 중 누군가가 5대 마족을 쓰러뜨리고 힘을 얻어야 한다는 거지?"

"그래, 그거야. 한 명에게 힘을 집중하지 않으면 『라스트 어비스』가 발동하고 말아. 내가 아무리 성장해도 그 마법을 단독으로 막는 건 무리야.”

거기까지 말하고 나는 떨떠름한 표정을 지었다.

“마왕이 이 대륙을 침공하고 5대 마족이 거점을 세우는 것까지는 틀림없으니까 그걸 이용하는 수밖에.”

“사실이라면 거점을 세우는 것도 막고 싶은데…… 어렵다는 거구나.”

“내가 말 그대로 최강이 돼서 마왕과 싸우면 당연히 날 경계하겠지. 그렇게 되면 시나리오에서 벗어나게 되니까 최악의 경우에는 마왕을 격파할 조건을 잃을 수도 있어.”

그렇게 되면 대륙에 마왕을 쓰러뜨릴 인물이 없어진다. 붕괴가 확정적이다.

“다만, 『라스트 어비스』가 발동돼도 마왕을 쓰러뜨리지 못하는 건 아니야. 시나리오가 두 가지인데, 하나는 한 주인공이 5대 마족을 쓰러뜨린다. 다른 하나는 다섯 주인공이 각각 5대 마족을 격파한다. 후자의 경우 『라스트 어비스』는 발동하지만, 패배가 확정되는 건 아니야. 다만—”

“다만?”

“마법이 발동되면 마왕이 강화돼. 게다가 『엘더즈 로스트』를 상쇄하지 못하니까 현자의 핏줄만 마왕을 쓰러뜨릴 수 있어. 마왕 격파가 멀어지지.”

게임에서는 현자의 핏줄인 주인공을 움직이기 위해 마왕

을 토벌하는 조건을 당연히 만족해야 했다. 하지만 현실이 되고 검증해보니…… 굉장히 위험한 여정이었다.

"루온은 어떻게 해야 최선이라고 생각해?"

유노가 물었다. 나는 잠깐 생각했다.

"이상적인 건, 내가 아무것도 하지 않고 주인공 중 누군가 가 5대 마족을 전부 쓰러뜨리는 거야. 그게 아니더라도 『엘더즈 로스트』만 사라진다면…… 내가 마왕을 쓰러뜨릴 수 있으니까 할 만 할 거야."

"나도 이의는 없는데, 잘 될까?"

"애초에 게임처럼 이야기가 진행될지도 불명이야. 유노와 이러고 있는 것도 게임과 다르고. 이야기대로 진행되더라 도…… 누가 마왕을 토벌할지 모르는 게 문제야."

"그럼 주인공 중 누군가와 함께 움직이면서 5대 마족과 싸우게 하는 건 어때?"

유노의 제안은 지극히 지당했다. 하지만 나는 난색을 보였다.

"그것도 한 방법이긴 한데…… 5대 마족의 거점은 기본적 으로 천사의 유적처럼 특수한 마법으로 외부에 보이지 않게 되어 있어. 이벤트가 발생해서 싸우게 되는데…… 주인공과 함께 행동한다고 해서 때 맞춰 이벤트가 일어날지 미묘하네."

"적절하게 움직여야 한다는 거구나."

"그렇게 되지. 전이 마법 같은 건 안 쓰니까 이동 마법을 습득해서 임기응변으로 움직이는 게 좋을까?"

문제가 산처럼 많았으나, 제일 큰 문제는 무엇보다—.

"루온이 얼마나 강해지느냐에 따라 크게 바뀌겠는데……."

"그렇지?"

만약 내가…… 게임에서 말하는 최대 스테이터스가 되면 이야기가 많이 달라진다. 한계까지 강해질 수 있으면 주인공들의 동향을 컨트롤할 수 있을지도 모른다.

그리고— 전생을 떠올렸다. 나는 죽기 전에 루온을 한계까지 키우려고 했다. 이번에는 내가 실제로 루온이 되어 해볼 수 있게 됐다. 기대됐다.

"적절하게 움직일 수 있게 태세를 갖춘다. ……그러기 위해 강해진다는 느낌? 그리고 주인공들을 관찰할 사역마 같은 걸 만들어서 대륙 상황을 파악할 방법도 갖추고 싶어."

"그거 좋은데? ……아, 루온. 그만한 힘을 가지면 선두에 서서 싸울 수 있지 않아?"

"……그러면 당연히 시나리오가 바뀌잖아?"

"응.

"그러면 마왕의 움직임도 읽지 못해. 게임 시나리오대로 흘러갈지 큰 의문이지만, 마왕을 격파하려면 마왕의 움직임을 읽는 게 가장 좋은 방법이야. 만약 시나리오대로 풀리지 않으면 여기저기 쑤시고 다녀도 되는데, 게임처럼 흘러가면…… 되도록 그렇게 유지하고 싶어. 그편이 여러모로 대책을 세우기도 쉬우니까."

"그럼 루온은 힘을 손에 넣어도 숨기고 싸우게?"

"그렇게 되지."

역시 문제투성이…… 이때, 유노가 또 물었다.

"강해질 방법은 있어?"

"걱정하지 마. 수행할 장소 후보는 뽑아놨어."

"이제부터 거기로 간다고?"

"응. 오늘은 유적을 탐색하느라 지쳤으니 내일 이동하자.
다만……."

"다만?"

나는 어깨를 으쓱하고 유노에게 말했다.

"현실이 된 지금도 거기가 있을지 의문이 따르지만."

식사를 끝내고 여관에 들어갔다. 피곤해서 푹 자고 다음
날을 맞았다.

전생한 지 이틀째, 전생으로 돌아갈 수는 없다는 현실이
닥쳐왔다. 어쩔 수 없다고 생각하며 단장을 마치고 아침 중
에 여관을 나왔다.

"출발하자."

진로는 북쪽. 어젯밤, 사전에 지도로 루트를 확인해보니
아침부터 걸으면 저녁에는 큰 마을에 도착했다. 오늘은 그
곳을 목표로 삼았다.

걷다가 문득 주위를 둘러봤다. 눈앞에 펼쳐진 정비된 길과 아름다운 거리. 여행객과 행상 마차가 왕래하는 길이 어딘가 서정적인 인상을 줬다.

나는 유적에 발을 들이기 전의 감동을 떠올렸다. ……그렇다. 나는 내가 원한 세계에 왔다!

"우오오오―!!"

"악?! 왜 그래?!"

내 외침에 유노가 놀라서 물었다.

"판타지 세계……! 내가 이곳에 왔어!"

"그만해! 남들이 보잖아!"

그 당당한 유노도 이상하게 쳐다보는 사람들의 눈길은 버티지 못했다. 그러나 내가 신경 쓰지 않고 다시 외치려 하자 ― 그녀가 내 왼뺨에 몸을 부딪쳤다.

"아얏!"

"진정하라니까…… 진짜."

유노가 정말 기가 막힌다는 투로 말했다. ……그치만 어쩔 수 없잖아.

"그 정도만 해."

"……알았어."

더 외치고 싶은 심정을 억누르고 걸음을 옮겼다.

"그래서 목적지는 어디야?"

"발크스 왕국 영내에 있는 이틀라스 산맥."

"지명으로 말하면 몰라."

"아, 그렇구나……. 음, 일단 여기서 북쪽으로 갈 거야. 중간에 수도도 지나."

"오호."

유노가 수도라는 말에 흥미로워했다. 나는 일부러 그 점을 언급하지 않고 그녀에게 물었다.

"유노, 보물 상자에 갇히기 전이랑 비교해서 대륙이 바뀌었어?"

"바뀌었냐고? 예를 들자면 뭐가?"

"기후라든가?"

이 세계는 전생과 같이 365일을 한 해로 치고, 이 대륙 내에 있는 나라 대부분은 봄, 여름, 가을, 겨울— 계절이 순회했다. 참고로 지금은 봄이었다.

"글쎄? 솔직히 대륙 상황에 전혀 관심이 없었거든……. 하여튼 문명 수준은 떨어진 거 아니야?"

"천사의 기술과 비교하지 마."

그렇게 태클을 걸었을 때, 작은 서점과 아름다운 책이 눈에 들어왔다.

"마법기술을 응용해서 생활은 제법 쾌적한 것 같아."

"응? 무슨 말이야?"

유노의 질문에 나는 루온의 기억을 끌어냈다.

예를 들어 책을 만드는 인쇄술. 전생에 있는 기계는 당연히 없었다. 루온의 지식으로는 마법기술을 응용해서 대량으로 인쇄한다는 것밖에 모르지만, 대도서관을 세울 정도로 책이 흔했다.

그리고 줄지어 늘어선 가게 창문으로 쓰는 유리. 전생에 있던 깨끗한 판유리는 안 보이지만…… 루온이 어릴 적에 살았던 저택에는 있었다. 이것만으로도 기술력이 상당하다는 걸 알 수 있었다.

문득 시선을 옮기니 수도관에서 투명한 물이 흘러나와 나무 상자에 넣은 과일을 시원하게 만드는 광경이 보였다. 수도 설비도 발달했다. 지하수나 근처에 있는 강에서 물을 끌어오나 보다.

그런 내용을 설명하자 유노가 감탄했다.

"인간도 노력하는구나."

"고자세라 좀 화나는데……. 과거에는 인간끼리 전쟁을 일으키기도 했지만, 지금은 평화롭고 정령과도 공존하는 모양이야."

우리가 있는 셸지아 대륙은 『정령의 대륙』이라는 별명으로 불릴 정도로 다양한 정령이 있었다. 유노처럼 작은 정령도 드물지 않아서 사람들이 수상히 여기지 않았다.

"루온, 여기서 수도까지 거리가 얼마나 돼?"

"대략, 걸어서 열흘."

"거리가 꽤 되네."

"거기서 북쪽으로 반나절 정도 더 가면 목적지인 이틀라스 산맥이야. 수도 북쪽이 산맥과 이어져 있는데, 정령이 사는 곳도 있어."

"예를 들면?"

"4대 정령인 실프가 제일 유명해. 근데 이번에는 그쪽으로 안 갈 거야. 산맥 기슭에 있는 바위산이 목적지야. 그곳에 눈에 띄지 않는 동굴 하나가 있어. 게임에서는 특수한 힘이 있는 수수께끼의 동굴이라고 설명해놨더라."

"수수께끼의 동굴……?"

유노가 고개를 갸웃거렸다.

"수수께끼라니 꺼림칙해."

"그러게. 그래도 내가 강해지기에 딱 좋은 던전인 건 분명해."

"무슨 이유라도 있어?"

"어떤 원리인지는 모르지만, 안으로 들어갈수록 마물이 강해지는 구조였어."

나는 루온의 기억에서 대륙의 상황을 끄집어냈다.

"현재 마물은 그렇게 강하지 않아. 장기를 쐰 마물이 늘어서 광폭화한 건 틀림없지만."

"그것도 마족의 영향이야?"

"아마도. 다만, 마물의 질 자체는 그렇게 오르지 않은 것 같아."

마왕이 습격할 징조임에는 분명했다. 하지만 아무것도 모르는 사람이 그렇게 해석하기에는 무리일 터였다.

"그래…… 아, 그러고 보니 말인데……."

"왜 그래?"

"동료를 늘릴 생각은 없어?"

"……사정을 설명해야 하니까 위험해. 지금은 혼자서 하려고. 참고로 유노는 전투능력이 있어?"

"나? 일단 마법은 쓰는데 거의 다 보조용이야."

"보조?"

"마스터를 지원하려고 만들어진 것이기도 하니까."

오, 그거 좋은데?

"그럼 내가 마비됐다든가 그럴 때 마법을 걸어줬으면 좋겠어. 그건 혼자서 어떻게 할 수가 없으니까."

"알겠습니다!"

유노가 경쾌하게 대답했다. 그 모습을 보고 「부탁해」라고 말한 뒤 마을을 나섰다.

눈앞에 길게 이어지는 땅을 다진 길과 푸르른 평원이 펼쳐졌다. 길에서 조금 떨어진 곳에 대규모 밭이 있고 농부가 일하는 모습이 보였다.

"한가롭네."

유노가 말했다. 나는 잠시 멈춰서 눈앞에 펼쳐진 광경을 바라봤다.

길은 폭이 넓어서 여러 대의 마차가 나란히 통행할 수 있을 정도였고, 검을 든 용병과 외투를 걸친 여행객이 왕래했다.

다른 사람의 눈에는 따분한 풍경일지도 모르겠다. 하지만 내게는 마을 거리처럼 판타지 세계에 온 것을 확신하고 흥분하는 요인―.

"자, 거기까지."

유노가 내 눈앞을 막아섰다. 소리 지를 줄 알았나 보다. 사실 그러려고 했다.

"자, 가자."

"……그래."

순순히 대답하고 걷기 시작했다.

목적지까지 거리가 있으니 긴 여행이 되리라. 여비가 어느 정도 있는지 조사해봤다. 나름대로 저축해놨는지 목적지에 도착할 때까지는 문제가 없을 것 같았다.

"좋아, 가는 길에 일하지 않아도 괜찮겠어."

"흐음…… 있지, 있지, 루온. 수도에 가는 거지?"

"방향만 따지자면. 하지만 관광은 안 할 거야."

"에이……."

천사가 실컷 불만스러운 표정을 지었다.

"잠깐은 괜찮을 것 같은데?"

"여비가 충분하긴 한데 펑펑 쓸 정도는 아니라 아무것도 못 사. 무엇보다 이제부터 수행할 거니까 쓸데없는 물건을 사면 곤란해."

"음식은 어떡하려고?"

"루온은 서바이벌 지식이 있어서 산에서 얼마든지 조달할 수 있어."

지식은 풍부하다고 해도 될 수준으로, 이 또한 루온이 노력한 성과였다.

그러자 유노가 뺨을 부풀렸다.

"그런 불만스러운 표정 짓지 마……."

그녀는 툴툴거리고 싶은 분위기였으나 계속 캐물어 봤자 무의미하다는 것을 깨달았는지 화제를 바꿨다.

"그러고 보니 발크스 왕국의 왕과 왕녀님은 죽는댔지?"

"시나리오대로라면…… 생각하니 우울해지네."

"우울? 왜?"

"아니, 나, 루온을 되게 좋아하거든……. 그리고 소피아 왕녀— 이건 애칭이구나. 소필리아 왕녀도 보자마자 마음에 든 캐릭터라서. 그런데 죽는다는 게 참……."

"그런데 왜 죽어?"

"직접 묘사하지는 않지만, 감옥에서 아사했다는 암시가 있어."

"비참해……. 그건 못 피해?"

유노의 물음에 생각해봤다. 어디에 투옥됐는지 알고 구하는 건 어렵지 않았다. 마족에게 패배하는 모든 인물들을 구해야 하는 게 맞는지도 모르지만…… 나는 전지전능한 신이 아니다. 모두를 구하지는 못한다.

마왕의 침공이라는 위협이 존재하는 이상, 사람의 죽음은 늘 따라다닌다. 내가 얼마나 강해지든 전 인류를 구하지 못할 것이고, 그런 눈에 띄는 행동을 해서 마왕의 시선을 끌면 시나리오가 붕괴한다.

순간, 게임에서 발생한 비극적인 이벤트가 떠올랐다.

"……게임에 피하고 싶은 사건이 여러 개 있었어."

"흠, 예를 들면?"

"필리와 에이나가 아닌 다른 주인공의…… 여동생이 마물에게 잡아먹히는 이벤트라든가 수도가 침공당해 막는 사이, 기사와 장군이 전사하는 전투라든가."

"마왕과의 전쟁이니 그런 비극적인 일도 일어나는구나."

"맞아. 게임 마지막에는 주인공과 함께 싸운 동료가 살아남았으니 어느 정도는 해피엔딩이었지만."

"그렇게 되지 않게 막아야겠다는 생각은 없어? 루온의 말을 들어보니 이야기와 연관된 장면이지? 의도적으로 비극을 막아서 마왕과의 전투가 쉬워지게 만들 수 있을 것 같은데."

그 말이 맞을 수도 있지만—.

"어느 쪽이든 내가 강해진 뒤의 이야기야. 강해지지 못하면 아무것도 못 해."

"그렇지……. 아, 루온. 혹시 수도에 가면 왕녀님을 볼 수 있을까?"

"아직 세상에 얼굴을 내밀지 않았을걸. 발크스 왕국은 스무 살이 되면 공식 석상에 서는 풍습이 있는데, 왕녀는 나이가 안 돼서 무리야."

"만나기 어렵겠네……."

"왜 그렇게 흥미를 갖는 거야?"

"아니, 루온이 첫눈에 반했다고 하니까 얼마나 아름답나 싶어서."

"첫눈에 반한 거랑은 달라……. 소설에 나오는 등장 인물에게 애착이 생기는, 그런 수준이라고 생각해."

"정말로? 근데 이야기 속 캐릭터가 죽었다고 우울해 할 정도니 애정이 각별했겠지?"

으…… 뭐, 그래. 왕녀는 에이나를 주인공을 선택했을 경우, 일시적으로 동료로 삼을 수 있을 뿐, 그 뒤로는 등장하지 않는 인물이었다. 그런데도 나는 왕녀를 걱정했다. …… 내가 생각한 것 이상으로 마음에 들었을 수도 있겠다.

"그리고 루온, 왕과 왕녀님이 돌아가신 이 왕국은 마왕과의 전투가 끝나고 어떻게 돼?"

"……사촌 동생인 에이나가 왕이 돼."

"왕이 되고 나서는?"

"게임에서는 그 이후는 안 나왔어."

"그럼 그 뒤에 혼란스러웠을 가능성도 있을까?"

"가능한 이야기야."

"줄거리를 알아서 그런지, 그 뒤의 이야기도 신경 쓰고 싶은데……."

"왕과 왕녀를 구하는 편이 혼란이 적은 건 사실이겠지……. 알았어. 생각해둘게."

내 말에 유노가 「그렇게 나와야지」라고 말했다. 그리고 작은 어깨를 으쓱하고 길을 나아갔다.

예정대로 여행을 순조롭게 소화하고 수도에 도착했다. 하지만 머물지 않고 지나간 것이 유노는 참으로 불만인 모양이었으나…… 나는 무시하고 산으로 향했다.

근처에 있던 마을 사람이 말하길, 내가 가려는 동굴 주변은 위험하니 가지 말라는 선고가 내려왔고, 그곳에 마물이 있다는 사실을 소문내지 못하게 한다고 했다. 그래서 모험가들도 동굴이 있는지 몰랐고, 나는 아무에게도 방해받지 않고 갈 수 있었다.

"여기야."

"……아주 조금, 장기가 느껴져."

동굴 앞에서 유노가 말했다.

겉보기에는 유노와 만난 유적처럼 바위산에 뻥 뚫린 평범한 동굴이었다. 숲과 바위에 둘러싸여서 눈에 띄지는 않았다. 누가 길을 잃고 잘못 들어오지 않는 한, 찾지 못할 정도였다.

"루온, 괜찮아?"

"물론이지. 걱정하지 말라니까. 여기가 얼마나 위험한지도 알고, 나 혼자니까 무리하지 않을 거야."

나는 검을 뽑았다. 그런 내 모습을 본 유노가 내 사기를 올리려는지 입을 열었다.

"좋~아! 힘내자! 루온."

"응!"

유노가 빛을 만들고 동굴 안으로 들어갔다. 그러자 낯익은 마물—『회색 토끼』가 나타났다.

"일단은 연습 수준이군."

한 마디 중얼거리자 마물이 공격했다. 천사의 유적에서 싸웠을 때와 달리 몸이 경직되지도 않았다. 행동 패턴을 파악해 공격당하지 않고 대처했다.

앞으로 돌진하자 또 같은 마물이 나타났다. 동굴 입구에는 약한 마물만 출현…… 게임과 똑같았다.

"안으로 들어갈수록 마물이 강해진다……. 이걸 어떻게 설명할 수 있는지 조사해볼까."

나는 그렇게 중얼거리며 마물을 격파했다. 유노가 「역시나」라며 환성을 질렀다. 더 안으로 가자 그곳에는—.

"……막다른 길?"

유노가 말했다. 바위벽이 우리 앞에 나타났다.

"지진이나 무언가로 길이 막힌 거겠지."

나는 벽 가장자리를 살펴봤다.

"이거 봐, 작은 구멍이 있지? 이 앞으로도 길이 있다는 거야."

"그럼 여기를 파괴할 거야?"

"응, 특별한 장치는 없는 것 같으니까 아마 괜찮을 거야—."

그렇게 말하며 구멍 부분에 손을 대고 힘줘 밀었다. 다음 순간, 바위 일부가 와르르 무너지고 싱인 한 명이 지나갈 정도의 공간이 생겼다.

"쉽게 부서지는데…… 뭐, 됐어. 가자."

"저기, 루온. 여기 줄거리랑 관련 있는 곳이야?"

"관련 없는 곳이었어. 게임에서는 시나리오 막바지에 구멍이 뚫려서 들어가게 돼."

나는 설명하며 틈으로 들어갔다.

"자, 지금부터가 진짜야."

"조심해."

"알았어."

유노의 말에 대답하고…… 나는 어두운 동굴 안으로 들어 갔다.

지금부터 나는 게임과 현실의 차이를 알게 될 것이다. 우선 동굴 탐색과 전투를 통해 차이를 학습했다.

—먼저, 던전 구조.

바위뿐인 동굴인데, 구조 자체는 게임 지식으로 파악해놨기 때문에 문제가 없을 줄 알았다. 그러나—.

"으음, 역시 처음 보는데."

마물을 쓰러뜨리며 앞으로 나아간 결과, 좌우로 나뉜 갈림길에 도착했다.

"처음 본다고?"

내 옆에 있던 유노가 의아해했다.

"게임 세계에서는 여기가 안 나와?"

"응. 동굴 입구 부근에서는 게임 상황과 일치했어. 하지만 지금은 아니야. 게임에서 본 풍경과 그렇지 않은 풍경이 뒤섞였어."

"그러니까…… 무슨 말이야?"

"게임에서 표현된 던전은 구조가 생략됐던 모양이야. 실제로 이 동굴은 상상 이상으로 복잡해……. 뭐, 어떻게 보면 당연하다고 해야 하나."

나는 거의 스치고 오다시피 한 발크스 왕국의 수도를 떠올렸다.

"예를 들어 발크스 왕국의 수도도 게임에서는 모든 것을 다 표현하지 않았어. 대로와 성으로 이어지는 길…… 그런 중요한 시설이 있는 곳에 한해서만 묘사했지. 현실이 됐으니 그 외의 시설이 있는 게 당연해."

"그게 동굴에도 적용됐다고?"

"그런가 봐……. 원래도 넓은 던전이라 탐색하는 데 큰일이겠어."

나는 잠시 돌아다니다가 동굴을 나와 제일 가까운 마을에 여관을 잡았다. 마왕의 습격은 몇 년 뒤지만, 초조해하면 안 된다. 차분하게 가자.

　"루온, 동굴 안으로 들어갈 때마다 장기가 짙어지는 것 같았어."

　잘 준비를 하던 중, 유노가 말을 걸었다.

　"동굴 안에 상당한 장기가 있고 안으로 갈수록 짙어진다……. 즉, 안으로 갈수록 그만큼 강력한 마물이 출현하는 구조인 거야."

　"그렇구나. 그거라면 마물의 힘이 바뀌는 게 이해가 돼."

　"루온이 말했듯이 강해지기에 좋은 곳이네."

　유노의 말을 들으며 나는 침대에 파고들었다.

　"내일부터 한 걸음씩 나아가자."

　"응, 힘내자."

　유노의 대답을 들은 뒤, 나는 내일에 대비해 취침했다.

　―탐색을 시작한 지 이틀째. 나는 게임과 큰 차이를 깨달았다.

　마물을 쓰러뜨리고 경험치와 돈을 얻는 것은 롤플레잉 게임의 상식이었다. 그러나―.

　"으음, 역시 그러지는 않네."

　나는 마물 몇 마리를 쓰러뜨리고 아쉬운 마음에 중얼거

렸다.

"그러지는 않아? 무슨 말이야?"

당연히 유노가 반응했다.

"게임에서는 마물을 쓰러뜨리면 돈을 얻을 수 있었어."

"……뭐야, 그게? 마물이 돈을 갖고 있을 리가 없잖아."

아주 지당한 그녀의 의견에 나는 한숨을 내쉬었다.

"마물을 쓰러뜨리면 자연스럽게 돈이 모이고 강력한 장비를 살 수 있게 되는 구조야."

"세상은 그렇게 쉽지 않아."

"……눈 뜬지 얼마 안 된 유노도 이게 있을 수 없는 일이라는 건 아는구나."

"당연하지."

작은 천사가 고개를 끄덕였다.

"그 대신 소재를 얻을 수는 있지만."

그녀의 말과 동시에 나는 회색 토끼를 쓰러뜨린 곳을 봤다.

장기에 침식된 마물은 죽으면 보통 먼지가 된다. 하지만 개중에는 영향을 받지 않은 부위인지 가죽이나 뼈가 남는 경우가 있었다.

"이런 소재가 무기와 방어구에 쓰이기도 해. ……즉, 이걸 팔아서 돈을 버는 거야. 근데 이래서는 게임에서 번 돈에 비하면 새 발의 피야."

"마물을 쓰러뜨려서 돈을 번다면 지금쯤 억만장자가 잔뜩 있을 것 같네."

지당하십니다. 유노가 말했듯이 「세상은 그렇게 쉽지 않다」는 건가.

"그리고 게임에서 떨어뜨린 아이템도 갖지 못해. 예를 들어 회색 토끼는 낮은 확률로 약초를 떨어뜨렸어."

"왜 마물이 약초를 갖고 있어?"

유노의 지적. 그것도 지당한 의견이었다.

"뭐, 그런 거지…… 이런 소재를 환금하려면 수도까지 가야 하고 부피가 크니까 필요한 만큼만 챙기자. 마을에 머무는 비용 정도는 되려나."

"그거 좋은데? 하지만 그럼 돈을 못 모으겠어."

"동굴 아래층으로 가면 강력한 소재를 얻을 수 있을 거야…… 짐을 수납할 수단을 만드는 게 좋겠어."

"뭐 생각해둔 거 있어?"

"그냥, 뭐."

그 부분도 차차 생각해두기로 하자.

—강해지기 위한 방법도 현실은 달랐다.

게임에서는 적을 쓰러뜨리면 경험치가 모여 레벨이 올랐다. 돈 버는 방법처럼 롤플레잉 게임이라면 극히 평범한 상식이었다. 그러나—

"으어어어억! 유노, 봐봐! 저거, 저거!"

"······왜 그렇게 흥분해? 어? 금색 슬라임?"

동굴 탐색을 시작한 지 닷새째. 내 눈앞에 놀라운 마물이 나타났다.

금색 슬라임— 슬라임은 눈도 입도 코도 없지만, 색깔마다 힘이 달랐다. 그리고 금색은 조금 특수한 사정이 있었다.

"그래! 알겠어? 저 녀석을 쓰러뜨리면 많은 돈과 경험치를 얻을 수 있어!"

"돈은 못 번다고 했잖아."

냉정한 유노의 언행에도 나는 한없이 흥분했다.

"알겠어? 저 녀석은 시나리오가 진행될수록 자주 등장하는데 초반에는 거의 안 등장해. 아직 약한 적이 배회하는 이 동굴에서 저 녀석과 만나는 건 엄청 드문 일이라고!"

"······그렇게 열심히 얘기해도 조금도 감동적이지 않은데."

금색 슬라임이 움직였다. 다른 슬라임에 비해 조금 빠르지만— 놓칠까 보냐!

"기다려, 이야아아아압!"

소리를 지르며 슬라임에게 달려갔다. 유노는 의아한 시선을 보내며 나와 같이 갔다.

슬라임이 도망치려고 했다. 하지만 내 공격이 더 빨랐다. 거리를 좁혀 휘두른 검이 마물의 중심을 찔렀으나 아직 쓰러지지 않았다.

"마무리다!"

추가 공격! 슬라임에게 휘두른 검에 분명한 반응이 느껴졌고…… 마침내 격파에 성공했다.

"좋았어! 이제—."

그러다가 움직임을 멈췄다.

"……어라?"

"왜 그래?"

"아니, 뭐랄까……."

내 몸을 확인했다. 당연히 겉모습은 바뀌지 않았다.

"으음…… 이 녀석은 경험치도 많이 주거든. 지금 내 실력을 생각하면 연속으로 레벨업해도 이상하지 않은데……."

"이런 마물을 쓰러뜨리고 금방 강해질 리 없잖아?"

유노가 돈 이야기할 때처럼 냉정하게 말했다. 나는 고개를 푹 숙였다.

"으아…… 그럼 마물을 쓰러뜨려 봤자 의미가 없다는 건가?"

"나도 몰라……. 근데 보수는 있는 모양이야."

유노가 바닥을 가리켰다. 시선을 옮기니 금덩이가 하나가 있었다.

"슬라임을 쓰러뜨린 전리품이야."

"오오…… 꽤 묵직한데? 순도도 높아 보여. 돈으로 바꾸면 금액이 꽤 나가겠어."

이걸 얻었으니 됐나……. 나는 주위를 둘러보고 생각했다.

"동굴에 닷새는 있었던 것 같은데 단순히 마물만 쓰러뜨려서는 강해질 수 없는 것 같아."

"당연하지. 그런데 그럼…… 어떻게 해?"

"일단 강해질 방법에 대해서는 어느 정도 추측한 게 있어."

"그게 뭔데?"

"마력이야."

내 말에 유노가 눈을 깜빡거렸다.

"마력? 마력이 왜?"

"당연한 일이지만, 모험가는 장비를 자주 바꾸지 않아. 게임 속에서는 자주 바꾸지만."

"돈이 얼마나 많은 거야?"

마물을 쓰러뜨리면 돈을 얻을 수 있다고 설명하려다 그만뒀다.

"현실에서는 장비를 바꿔서 방어력을 높이지 않아. 하지만 마물은 강력해질수록 공격력도 오르지……. 그 대책으로 쓸 수 있는 게 마력 장벽이야."

온몸에 막을 치는 느낌. 마력의 막으로 전신을 보호하는 방법을 마력 장벽이라고 한다.

"인간에게는 머리라든가 심장 같은 급소가 여럿 있잖아. 그걸 다 보호하려면 장비가 아니라 마력으로 방어해서 대응하는 게 제일 싸게 먹히고 효율적이야."

"하지만 단련해야 한다는 거지?"

"정답. 기사라면 강력한 장비로 마력 장벽을 자동으로 펼치는 갑옷 같은 걸 쓰나 본데…… 역시 훈련은 하는 모양이야. 아무튼 기사와 모험가는 마력을 높여서 방어력을 올려."

게임은 스테이터스인 근력이나 민첩, 지성 같은 다양한 요소로 캐릭터의 특징을 구성했다. 물론 근력과 지성이 높아야 좋은 건 사실이지만, 이건 올리기가 어려웠다. 근력은 체력적으로 한계가 있고 지성은 어떻게 판단해야 할지 모르겠다. 하지만―.

"마력은 체격과 상관없이 성장할 수 있어. 또, 마력을 이용해서 신체 능력도 향상할 수 있으니까 단련하면 단련할수록 강해져."

"게다가 루온은 남에게 없는 장점이 있지."

"바로 그거야."

전생해서 늘어난 마력. 성장의 여지가 있으니 이제부터 기술을 높이면―.

"근데 문제도 발견했어. 나는 마법사와 기사, 두 스승님께 전투를 배웠어. 마력을 늘리는 훈련이라든가, 기술과 마법을 쓰는 방법이라든가…… 그런 것도 배웠는데, 혼자서 하면 한쪽으로 치중될 수 있을 테니 제대로 성장할지 모르겠어."

"후후후, 이 몸이 나설 때네."

유노가 가슴을 펴며 주장했다.

"응? 뭐야?"

"우리가 처음 만났을 때, 내가 마력의 흐름을 포착할 수 있다고 했잖아?"

"했지……. 아, 그거 설마—."

"천사는 태어났을 때부터 마력은 많지만, 마력을 다루는 수련이 필요해. 나는 수련이 잘 되고 있는지 판별하는 역할도 해."

"그 말은 마력의 흐름과 마력양도 안다는 거야?"

"맞아. 마력의 흐름이 효율적인지 어떤지 단번에 알 수 있으니까 내가 지도하면 마법도 기술도 크게 강화될 거야. 근데 문제도 있어."

"뭔데?"

"마법을 사용하지 않으면 해석할 수 없는데, 옷 너머로라도 몸에 접촉해야 하고 마법을 계속 쓰고 있어야 해. 그 상태에서 지원도 가능하지만, 주의해둬."

"힘들 것 같아."

"꽤 고생하니까, 꼭 강해져야 해."

"……알았어. 고마워."

유노는 「천만에」라고 대답하고 말을 이었다.

"뭐, 전투가 끝나고 맛있는 걸 잔뜩 먹게 해준다는 조건으로 타협할게."

"네네. ……근데 몸에 닿아야 한댔지? 어떡할래?"

"주머니에 들어가 있을게. 괜찮아?"

"알았어. 부탁해."

나는 대답한 뒤, 검을 고쳐 잡고— 동굴 안으로 발을 들였다.

방침을 정한 뒤, 유노가 협력하기도 해서 꽤 빠른 속도로 성장했는데…… 탐색을 시작한 지 대략 20일. 문제가 생겼다.

동굴로 가려던 때, 깁자기 늑내 울음소리가 늘렸다. 숲이 있는 북쪽에서였다.

"음, 이건……."

"마물이 마을 가까이 왔어."

나는 단언하고 여관을 나섰다. 불안해하는 마을 사람들이 보였다.

그중 한 남자가 나를 알아보고 말을 걸었다.

"아, 나그네 양반……! 근처에 마물이—."

"제가 상황을 보고 오겠습니다. 마을 밖으로 나가지 말라고 경고해주세요."

내 지시에 남자가 눈을 깜빡거리고 고개를 끄덕였다.

나는 놀라는 사람들을 곁눈질하며 마을 밖으로 달렸다. 숲으로 이어진 길을 달리자 울음소리의 주인이 나타났다.

"수가 많은데…… 할 수 있을까?"

늑대 무리와 마주쳤다. 『갈색 늑대』라는 마물로, 이름 그대로 갈색 털이 특징이었다. 동굴 안에도 나타난 늑대는 한 번에 겨우 몇 마리 나오곤 했는데 이번에는 열 마리 정도였다.

"마을을 구하는 용사님 같네?"

주머니에 있는 유노가 말했다. 내가 농담에 쓴웃음 짓는 사이, 늑대 두 마리가 달려들었다.

"성과를 시험해볼 좋은 기회야."

수행을 시작하고부터 20일이 지났는데, 눈앞의 마물에게 뒤지지 않았다. ······고양감마저 느끼며 검을 뽑고 주문을 외우기 시작했다.

맞설 태세에 들어간 순간, 두 마리가 동시에 공격했다. 나는 전혀 동요하지 않았다. 전생의 지식으로 상대의 움직임을 순간적으로 판단하고 원하는 대로 몸을 움직였다.

뛰어들기 직전에 몸을 틀어 회피. 이어서 두 마리 중 오른쪽에 있는 늑대를 향해 세로로 검극을 날렸다.

마력을 담은 순간, 전류가 흐르는 듯한 느낌이 팔을 내달렸고 공격이 늑대의 머리에 들어갔다. 저항은 미미했다. 단번에 내리쳐 한 마리를 양단하고, 연달아 다른 한 마리에게 왼손을 내밀었다.

"휘몰아치는 힘— 마를 격파하는 검이 되어라— 바람이여!"

바람 속성 하급 마법『윈드 슬래시』를 썼다. 바람의 검을 만드는 마법으로 갈색 늑대의 약점 속성이었다.

마법은 멋지게 직격했다. 갈색 늑대의 몸을 가르고 여파로 생긴 바람이 내 몸을 쓰다듬었다. 마물은 단말마를 지르며 날아가 소멸했다.

"바람이 꽤 효과가 있나 봐. 그리고 마물을 놓치면 위험하지 않을까?"

유노의 조언에 나는 마음속으로 동의하고 이어서 마법을 쓰기 위해 마력을 모았다.

그때, 세 번째 늑대가 움직였다. 뛰어 들지 않고 다리를 노려 돌격하는 움직임— 나는 그 움직임을 파악하고 냉정하게 대처했다. 태양 빛을 받은 은백색 날이 마물을 벴다.

좋아, 순조로워. ……늑대들의 움직임에 변화가 생겼다. 역량 차이를 깨달았는지 네 마리째 늑대가 오지 않았다.

이대로 보내면 마을 사람이 공격당할 수 있었다. 놓아줄 생각은 없었다.

"바람이여—. 하나가 되어— 날려버려라!"

마법을 발동했다. 바람 속성 하급 마법 『버스트 에어』였다. 손을 뻗은 방향으로 바람 덩어리가 날아가 대상에게 직격한 순간, 폭풍과 바람의 검이 날뛰는 마법이었다.

무리를 이룬 갈색 늑대들에게 바람 덩어리가 모래 먼지를 일으키며 날아갔다. 과연—.

늑대들이 피하려 했지만, 바람이 압도적으로 빨랐다. 선두 한 마리에게 직격한 순간, 폭발하는 소리가 울려 퍼지며 바람이 퍼졌다. 마물들이 예외 없이 공중으로 날아올랐다. 개중에는 나무보다 높게 하늘 높이 떠오른 녀석도 보였다.

"오오, 화려한데!"

유노가 유쾌하게 말했다. 시험 삼아 전력으로 발동하니 이만한 위력이 나왔다. 동굴 안에서 쓰려면 더 제어해야겠다.

이윽고— 마물이 전부 사라지자 바람이 멎었다. 섬멸 완료다.

"처음에 비해 강해졌네."

유노가 감상을 말했다. 그런 말을 들으니 기뻤지만, 나는 어깨를 으쓱했다.

"마왕과 고위 마족에게 대항하기에는 아직 부족해."

"그건 그렇지만…… 착실하게 진보하는 건 좋은 일이야."

"진보라……. 그나저나 유노, 아까 전투는 어땠어?"

그녀에게 분석 마법을 유지해달라고 부탁했기에 전투의 시작부터 끝까지 마력의 흐름이 어땠는지 물어봤다. 그런데 여기에 약간의 문제가 있는데—.

"싸우기 시작할 때, 기합이 지나친 거 아냐? 마력이 좀 흐트러졌네."

"으, 그렇구나."

"마법 영창을 시작했을 때, 검에 주입한 마력도 흔들렸어. 마법도 끌어올렸을 때의 열량보다 조금 기세가 약했잖아? 그리고 좌우 균형이 완벽하지 않았어."

……유노는 스파르타였다. 내가 보기에는 전혀 흐트러지지 않았지만, 그녀는 사소한 변화도 허락하지 않았다.

"이거 봐. 지금도 이야기하는 사이에 마력이 흐트러졌어."

그 지적에 얼른 고쳤다. 나는 마력 장벽을 유지하며 마력의 흐름이 흐트러지지 않게 지도받고 있었다.

—마력이란 마법과 기술을 쓰면 쓸수록…… 또 지금처럼 장벽을 유지하거나 마력을 조작하며 점점 총량이 늘어난다. 사람에 따라 가질 수 있는 마력의 양이 정해져 있지만, 아무래도 나는 루온의 몸에『유이치』의 의식이 더해져서 그 한계가 상당히 올라간 모양이었다.

그래서 유노도 제법 의욕을 보였다.

"자, 그럼……."

나는 마을로 발걸음을 돌렸다. 이렇게 마물을 퇴치한 건 전생한 이후로 처음이라 조금 긴장됐다.

마물은 쓰러뜨렸다. 문제없다. ……그렇게 말하자고 마음속으로 중얼거렸을 때, 내 시야에 예상 못 한 인물이 들어왔다.

"당신은……."

병사가 여럿. 근처 마을에서 왔나?

한 가지 의문이 생겼다. 이런 작은 마을에는 병사가 상주하지 않았다. 마물의 울음소리를 듣고 시간이 얼마 지나지 않았는데 그들이 어떻게—.

"……저희는 어제 마을 사람의 요청을 받고 왔습니다."

병사가 설명했다. 아, 그렇군. 어제 마을 사람이 마물을 발견하고 연락해서 병사가 왔다는 거구나.

"이 마을을 거점으로 활동하는 모험가분이신가 본데……
검술 실력과 조금 전의 마법, 둘 다 실력이 상당하시군요."

나는 그제야 깨달았다. 큰일이다. 마을 사람에게는 얼버무리는 게 어렵지 않지만, 상대는 병사다. 자칫 잘못하면 내 이야기가 기사에게 전해질지도—.

"괜찮다면 잠깐 대화 좀 해주셨으면 합니다만."

으아아, 엄청 안 좋은 예감이 들었다. 역시 화려한 마법은 쓰는 게 아니었어.

"아, 으음, 그게……"

괜히 변명했다가 수상하게 여기면 큰일이었다. 잘 얼버무려야 했다.

"……어?"

문득 한 병사가 소리를 냈다. 시선이 내 주머니 근처를 맴돌았다. 유노를 본 모양이었다.

"정령과 계약한 계약자였군요?"

"아, 네. 맞습니다."

이거다, 라고 생각한 나는 얼른 떡밥을 물었다.

"실은 요 근처에서 이 정령과 계약하고 마을을 거점 삼아 수행 중입니다."

"그렇습니까? 조금 전의 바람 마법을 보니 바람의 정령인가요?"

"네, 뭐, 그렇죠. 실프와는 조금 다릅니다만…… 아까 같은 마법을 쓴 건, 다 이 정령 덕분이에요. 지금은 이 주변의 마력과 상성이 좋아서 마법을 쓸 수 있습니다. 다른 곳에서도 쓸 수 있게 열심히 훈련 중이에요."

병사들의 시선이 유노에게로 쏠렸다. 어떤 정령인지 캐물으면 곤란한데……. 내심 두근두근하며 상대의 반응을 기다리자 병사가 입을 열었다.

"과연 그렇군요. 정령의 계약자……. 괜찮다면 그 힘을 다른 곳에서 활용할 수 있는지 물어보고 싶었습니다만, 그런 사정이 있다니 어쩔 수 없군요."

병사가 물러났다. 사, 살았다…….

"수행이 끝나면 꼭 저희에게 말씀해주십시오. 좋은 일을 소개해드리겠습니다."

"아, 네. 알겠습니다. ……그런데 그, 이 이야기는 비밀로 해주시겠습니까? 동료들에게도 훈련하는 걸 밝히지 않았거든요. 정령과 계약할 때, 이래저래 일이 좀 있어서……."

"상관없습니다."

다행이다. 이 이야기는 여기서만 하는 걸로 수습되겠다.

"다만 한 가지, 앞으로 마을에 무슨 일이 있을 경우 협력해주신다면……."

"물론 그래야죠."

나는 고개를 끄덕였다. 병사는 내 말에 만족하고 돌아갔다. 그들을 배웅하고 마을 사람에게도 설명했고…… 하여튼 무사히 끝났다.

"그렇게 꼭 예민하게 굴어야 해?"

유노의 말에 나는 고개를 가로저었다.

"동굴에서 수행하는 걸 들키면 귀찮아지잖아. 마을 사람은 위험하다고 하면 안 갈 테고."

"아, 그런가?"

"이야기가 꼬여서 동굴에 들어갈 가능성도 없지 않아. 수행이 끝날 때까지는 지금 상태를 유지하고 싶어……. 다음에 병사를 만날 때를 대비해서 변명을 생각해야겠어."

그리고 너무 화려하게 해치우면 눈길을 끌 가능성이 있었다. 어떤 마법과 기술을 쓰든 밖에서 행동할 때는 주의해야겠다.

"더 확실하게 제어해야지…… 자, 동굴로 가자."

그렇게 중얼거린 나는 오늘 수행을 시작하고자 걸음을 뗐다.

밤이 되어 오늘 일어난 일을 돌이켜보는데 유노가 말을 걸었다.

"루온. 하나 물어볼 게 있어."

"뭔데?"

"마법과 기술 말이야."

나는 유노를 보며 다음 말을 기다렸다.

"다시 물어보겠는데…… 둘 다 마력을 쓰지만, 방법이 꽤 다르지?"

"맞아. 내 느낌대로 말하면 마법을 쓸 때는 몸이 뜨거워지고 기술을 쓸 때는 전류가 흐르는 것 같아."

"흐음, 그렇구나."

"갑자기 왜?"

"아니, 나는 미력을 다루는 방법은 가르쳐줄 수 있지만, 기술과 마법을 쓰는 방법은 모르잖아. 어디서 배우지?"

"그건 걱정할 거 없어."

내가 단언하자 유노가 고개를 갸웃거렸다.

"왜?"

"먼저 마법에 관해 설명할게……. 하급 마법은 약간의 마력과 지식이 있으면 습득할 수 있어. 빛을 만드는 정도는 마력이 그럭저럭 있으면 사흘 만에 배워. 특수한 아이템을 이용하면 예비지식 없이 마법을 배우기도 해."

"중급 이상은 달라?"

"응. 중급 이상의 마법을 습득하려면 일단 『자격』이 필요해. 자격을 얻는 방법은 세 가지. 하나는 교회에 돈을 내고 세례를 받는 『신성 마법』이라는 방법. 루온은 이쪽 마법사라 빛 마법 습득이 빨라. 다만, 다른 『자격』에 비해 마법 위력이 떨어져."

"다른 두 가지는?"

"대륙에 사는 정령들과 계약하는 『정령 마법』과 다른 하나는 아카데미아…… 마법 연구 기관이라고 하면 되나? 그런 곳에서 배워서 습득하는『도사 마법』이야. 참고로『도사 마법』을 소지한 상태로 정령과 계약할 수도 있어서 게임에서 마법사를 강화할 때, 아카데미아 출신에게 정령을 붙이는 게 보통이었어."

이 세 가지 중 하나가 있으면 중급 이상의 마법을 습득할 수 있다. 그리고—.

"중급 이상의 마법을 쓰기 위해『자격』을 얻는 건 어디까지나 전제 조건이야. 그 뒤에는 중급 이상의 마법이 무엇인지 공부…… 즉,『지식』을 가져야 해. 그리고 정확하게 마력을 모으지 않으면 발동하지 않으니까, 그런『기술』과 일정량의 마력이 필요해."

"루온은『자격』과 마력은 갖고 있는 거네. 남은 건『지식』과『기술』인가……."

"그것도 문제없어. 루온은 상급…… 아니, 최상급 마법을 쓸 수 있는『지식』을 가졌거든."

내가 대답하자 유노가 눈을 동그랗게 떴다.

"응? 어떻게? 스승님이 가르쳐줬어?"

"아니. 내 전생의『지식』. 중급 이상의 마법을 쓰는『기술』은 방법이 다양한가 본데, 나는 상상을 부풀려서 마법을 쓸 수 있어."

"뭐? 상상?"

유노가 되물었다. 믿지 못하는 모양이었지만, 나는 고개를 끄덕였다.

"마법은 몸속에서 마력을 끌어내서 주문을 외우며 다듬어서 방출해. 그걸 높이는 게 『기술』인데 내 경우에는 전생의 게임에서 본 마법을 강하게 상상하면 발동할 수 있어."

"……뭔가, 주먹구구식이네."

"바로 그거야. 방법이 정식적이지 않아. 원래는 『기술』도 필요하지만, 나처럼 마력이 풍부하면 주먹구구식으로도 발동할 수 있다는 말이야."

"흐으음…… 그건 탐탁지 않은데……."

무슨 말을 하고 싶은지 이해했다. 현재 나는 높은 마력과 전생의 상상으로 마법을 쓸 수 있는 모양이지만, 권장할 만한 방법이 아니었다.

"마력의 흐름을 알 수 있으면 마법이 제대로 발동하는지도 알 수 있어. ……내 지도로 『기술』을 향상시킬 수 있겠어. 책임지고 돌봐주지."

"살살 부탁한다고 하고 싶지만…… 그럴 여유도 없네. 열심히 할게."

"응! 그래서 마법은 알았고, 기술은?"

"그것도 마법처럼 상상해서 할 수 있어. 루온은 검사지만, 다른 무기 기술도 습득할 수 있거든. 그리고 기술 중에 『마도기(魔導技)』라는 마법과 조합해서 쓰는 게 있는데, 이것

도 쓸 수 있어."

"여기서도 전생의 지식이 대활약하는구나."

나는 고개를 끄덕였다. ─참고로 중급 이상의 기술은 『자격』이 필요하지 않지만, 일정한 마력과 『지식』, 그리고 『기술』이 필요했다. 그 외 기술 중에는 특정한 인물만 쓸 수 있는 고유 기술이 있기도 해서 내가 전부 습득하는 건 무리였다.

결국, 마법도 기술도 레벨을 올리면 습득할 수 있었던 게임과 다르게 현실에서는 적합한 지도와 단련이 필요했다.

"자, 일단 마법부터 하자. 그래……『뒤랑달』을 써봐."

집 안에서 써도 되나 싶었지만, 유노의 말대로 주문을 외워 『뒤랑달』을 발동했다. 그러자─.

"아아~ 이거 심각하네. 진짜 주먹구구식이야."

"……그렇게나?"

"뭐, 가르칠 보람은 있겠네. 내가 제대로 가르쳐줄게."

유노가 방긋 웃으며 말했다. 왠지 좀 등골이 오싹해졌다.

앞으로 스파르타 지도가 늘 것이라 확신하며…… 오늘은 자기로 했다.

─그리고 전투 중에 성가신 사실도 발견했다.

"역시 안 돼."

탐색을 시작한 지 약 두 달. 시나리오 중반에 나오는 마물이 출현하는 곳에 도착해 순조롭게 수행하던 중, 한 가지 문제가 생겼다.

필요한 물자를 사기 위해 발크스 왕국·수도에 들렀을 때, 큰맘 먹고 강력한 검을 샀는데—.

"엄청 고생하네?"

유노가 주머니에서 얼굴을 내밀었다.

"응. 이 검에 담긴 마력과 내 마력이 반발해."

나는 격파한 마물이 서 있던 곳을 보며 말했다.

"게임에 있는 검이라 샀거든. 검의 성능이 좋아서 전투력은 올랐지만…… 생각 없이 무기를 사면 안 되는구나."

"게다가 무기가 잘 들어서 루온이 마력을 별로 안 써. 이러면 성장을 기대할 수 없어."

말씀하신 대로입니다……. 지금까지 손에 넣은 정보를 통합하니 참 재미없게 됐다.

경험치는 마물을 쓰러뜨려 얻는 게 아니라 마물과 얼마나 싸웠는지로 정해졌다. 기술과 마법도 마찬가지, 그에 따른 고생을 해야 했다. 장비로 보강하는 것도 도가 지나치면 내가 성장하지 못했다. ……극히 당연한 이야기지만, 왠지 섭섭했다.

"이러면 약한 캐릭터가 강한 적과 싸워서 금방 강해지는 것도 무리겠네."

"응? 그게 무슨 말이야?"

"게임은 마물을 쓰러뜨리면 경험치를 획득할 수 있어. 그 양이 마물마다 정해져 있어서 강한 무기를 들고 강력한 마물을 쓰러뜨리면 그만큼 레벨이 팍팍 오르거든."

"게임처럼은 안 되나 봐."

유노의 말이 맞았다. 지름길은 없다. 계속 싸우는 자만이 강해진다. 다만, 한 가지 의문이 생겼다.

"내 경우에는 전생해서 힘을 얻은 데다 유노의 조력으로 성장하고 있는데…… 게임 주인공은 어떨까?"

게임 초반에서 마왕을 격파하기까지, 말문이 막힐 정도로 빠르게 성장하지 않으면 무리 아닌가? 이거…….

"글쎄? 만약 성장하지 않았으면 마왕과의 전투에 대해서도 생각해놔야겠는데."

"……어떻게 할지 정도는 생각해둘까? 그럼 일단 검을 교환하러 돌아가자."

왔던 길을 돌아갔다. ―게임에서는 문제없이 사용한 검인데 이런 경우가 있다니, 마력이라는 건 참 성가시다고 생각했다.

―그리고 나는 이래저래 마법도 개발했다.

"좋아, 이걸로 끝."

탐색을 시작한 지 약 넉 달. 여름이 되고 습기도 적은 쨍쨍한 날씨. 맑게 갠 하늘 아래, 나는 냉기 마법으로 더위를 식히며 작업 중이었다.

동굴이 있는 바위산— 입구에서 조금 떨어진 땅에서 몇 미터 높은 곳. 나는 그곳에 흙과 바위를 깎는 마법으로 구멍을 만들었다.

"이거 용도가 뭐야?"

어깨에 앉은 유노가 물었다.

"전리품을 넣는 공간이야. 마법으로 바위나 무언가로 막아두면 사람이 오는 일도 거의 없으니 문제없을 거야."

"아, 그렇구나……. 근데 일부러 여기로 가져오는 거 귀찮지 않아?"

"어떡할지 이미 생각해놨어."

나는 뒤를 돌아봤다. 그곳에는 네모난 목제 수납함이 하나 있었다. 나는 뚜껑에 마법진이 그려진 수납함을 보며 주문을 외웠다.

"—내 곁으로, 오라."

마지막 부분을 짧게 말하고 마법을 발동했다. 그러자 수납함에 새겨진 마법진이 힘을 발휘하더니 갑자기 사라졌다.

그리고 내 눈앞에 수납함이 나타났다. 그러자 유노도 이해한 듯했다.

"아, 소환마법 응용?"

"정답. 마법사 스승님께 배웠어."

불러낸 수납함에 문제가 없는지 확인한 뒤, 나는 수납함에 마력을 담은 손을 올리고 중얼거렸다.

"가리키는 곳으로, 돌아가라."

그러자 수납함이 마력에 휩싸이고— 불러내기 전에 있던 곳으로 전이했다.

"좋아, 성공."

구멍을 만들어 수납함을 넣어두고 필요하면 불러낸다. 그리고 볼일이 끝나면 마법으로 원래 있던 곳으로 보낸다. 완벽했다.

"저기 있지, 루온."

혼자서 고개를 끄덕이는데 유노가 말을 걸었다.

"예전에 강해져서 여기저기 들쑤시고 다니려고 해도 이동이 문제라고 했잖아?"

"응. 그래서 바람 마법을 이용해서 고속이동을—"

"소환 마법도 일종의 전이 마법 아니야? 그건 응용 못 해?"

"……무리야. 물건을 불러내는 게 제일 간단하고, 생물을 옮기려면 상당한 기술이 필요해. 어떤 원리인지 나도 잘 모르지만, 곤충이 제일 간단하고 동물, 마물 순으로 난이도가 올라가. 인간과 정령은 애당초 소환 마법이 성공한 적이 없어."

"정령도 무리구나."

"몸속에 있는 마력 구조가 굉장히 복잡해서 그렇다는 설이 있어. 억지로 소환하는 것도 무리니까 포기하는 수밖에."

나는 말을 멈추고 수납함을 응시했다.

"지금은 상자가 하나지만, 시장에 가면 좀 더 사오자."

이어서 내가 만든 구멍을 응시했다. 사람이 오는 일은 적겠지만, 그래도 여러모로 대책을 세워두자.

—그렇게 많은 것을 학습하며 오로지 수행에만 집중했다. 마법과 기술도 루온의 지식 속에 있는 것은 실전으로 경험을 쌓았다.

유노의 지도까지 받으며 반년이 지나자 꽤 성장할 수 있었다. 시나리오 중반에 나오는 마물이라면 마력 장벽으로 대미지 없이 대처할 정도로 강해졌는데…… 마족과 싸우기에는 아직 부족했다.

"있지, 루온."

동굴로 출발하기 전, 갑자기 유노가 말을 걸었다.

"왜?"

"식재료가 다 떨어져 가는데……."

"그럼 산으로 채집하러 가야겠다. 지금은 가을이지? 겨울이 되면 어떡할지 생각해야겠네."

"돈도 모였으니까 가끔은 맛있는 거 먹자~."

……영양상으로 충분하니 문제없다고 생각하는데.

빈집을 빌리고 충분한 요금을 내서 그런지 동굴에서 돌아오면 집에 저녁 식사가 놓여있기도 했다. 나무 열매와 야생동물 고기를 먹고 무척 건강한 생활을 보내고 있는데……

유노는 불만인 모양이었다.

"뭐, 조만간."

그렇게 대답했으나 유노는 참으로 불만스러운 표정이었다. 그 모습을 보니 조만간 어느 순간 폭발할 것 같았다.

생각해 보면 그녀에게 상당히 신세 지고 있고…… 그치만…….

"일단 오늘은 예정을 바꿔서 식재료를 조달하자."

"네에―."

영혼 없는 대답을 들으며 나는 집을 나섰다. 반년 동안 싸우니 성과가 나오기는 했다. 하지만 때를 맞출 수 있을까……. 그런 생각을 하며 식재료를 찾고자 숲속으로 들어갔다.

"저기 있지, 루온."

그때, 유노가 입을 열었다.

"가끔은 다른 데서 조달하자."

"다른 데?"

"계속 똑같은 곳에 있기도 질렸어."

어떤 식으로든 좋으니 다른 곳에 가고 싶다는 거군. 뭐, 기분 전환하기에는 좋을지도…….

"알았어. 그래, 어디로 갈래?"

"수도 근처에 있는 산은 어때? 꼭 산 위에서라도 수도를 보고 싶어."

결국, 그게 목적이었군. 하지만 나도 보고 싶었던지라 동의하기로 했다.

"그러고 보니 나, 수도 이름도 몰라."

목적지를 향해 걷기 시작하자 유노가 말했다. 흠, 이참에 설명하는 게 좋겠다.

"발크스 왕국의 수도 이름은 피린테레스야. 대륙에서도 오래된 역사를 가진 나라라 그 옛날 좋았던 고도(古都)라는 이미지가 있어. 또, 이 수도에서 패션 같은 유행이 퍼져나가 기도 해서 오래되기만 한 게 아니라 새로운 요소도 많아."

"오호라."

"높은 성벽에 둘러싸여서 견고한 이미지도 있고, 성의 외 관이 동화에 나올 것 같은 조형미가 있어서 아름다운 이미 지도 있어……. 지금 우리가 있는 이 나라는 대륙 서쪽에 있 는데, 서부의 중심이 되는 곳이야."

"응응."

반응 엄청 좋네…… 당연한가?

"거리가 있으니까 마법을 쓸게."

"그래."

유노가 내 주머니에 들어온 뒤, 마법을 썼다. 『버드 소어』라 는 마법으로, 게임에서는 이동속도가 상승하는 마법이었다.

다만, 동시에 다른 마법을 쓰지 못하고 제어가 어려웠다. 게임에서는 거의 쓰지 않는 도움이 안 되는 마법 중 하나로 꼽히지만, 현실이 된 지금은 이동 마법으로 잘 활용했다. 참고로 유노처럼 주머니에라도 들어가지 않는 한, 남이 나를 만지려고 하면 날아가 버리기 때문에 일인용 마법이고 사고를 일으키지 않도록 주의해야 했다.

마법을 발동하자 발이 지면에서 몇 센티미터 떨어졌고, 나는 이동을 개시했다. 나무를 피하며 성큼성큼 산으로 돌진했다.

그렇게 나아가면서 생각했다. ─수행을 시작한 지 반년. 제법 강해졌지만, 아직 부족했다. 앞으로도 정진해야 했고 납득할 수 있을 때까지 계속 수행하자고 생각했다.

그러나 이때, 다른 산으로 향한 일로 인해 내 생활이 크게 바뀌게 됐다.

제3장 만남과 결의

"우와아……."

유노가 감탄했다. 목적지인 산은 수도에서 봤을 때, 북쪽에서 서쪽에 걸쳐 뻗어있었다. 표고(標高)는 대단하지 않지만, 내려다보기에는 꽤 높아서 경관은 최고였다.

"……다시 보니까 상당히 큰 수도네."

나도 다시 감탄했다. 우리는 지금 수도의 서쪽에 있는 산 정상 부근에 있었다. 주위에 사람도, 마물의 기척도 없었다. 시각은 아침이고 바람은 부드러웠다.

날씨는 쾌청해서 전생처럼 동쪽에서 서쪽으로 이동하는 태양이 따뜻한 빛을 내리쬤다. 제일 중요한 수도는 드넓은 평원에 있고 성벽에 둘러싸인 마을이 시야 전체에 들어왔다.

"이렇게 위에서 보니까 지붕 색이 구분된 게 확실하게 보여."

나는 왼쪽— 북쪽에 있는 성에서 남쪽으로 시선을 옮겼다. 성 주변에는 흰색 지붕이 있고, 남쪽으로 갈수록 파란색과 갈색…… 남쪽은 색이 제각각이었다.

"있지, 루온. 흰색은 귀족이 사는 곳일까?"

"흰색은 행정과 관련된 시설이야. 파란색이 기사단 초소와 군 관련 시설. 갈색은 상업 관련 시설이고. 법률로 엄밀하게 정한 건 아닌데 성 주변은 통일하기로 암묵적으로 양해하는 거겠지. 남쪽에 펼쳐진 상업지구와 거주구역은 정해져 있지 않아서 제각각이야."

하지만 이렇게 감동할 수 있게 색을 쓴 것을 보니 그들 나름대로 배려했나 보다.

"루온, 가자. 지금은 돈도 있으니까 관광할 수 있잖아?"

여기까지 왔으니 당연한가.

"수도에 처음 가는 것도 아니잖아?"

"그때는 대장간이랑 잡화점 같은 데만 갔잖아. 더 다양한 곳을 보고 싶어."

유노가 주머니 속에서 항의했다. 나는 잠시 생각했다. ……그래, 가끔은 좋겠지.

"알았어. ……너무 들떠 하지 마."

"오예!"

유노가 주머니에서 뛰쳐나와 만면의 미소를 지었다. 나는 쓴웃음을 지으며 걸음을 뗐다.

"근데 어디로 가려고?"

"그야 물론 드레스 같은 걸 볼 거야."

"……유노는 못 입잖아."

"만들어주지 않을까? 주문 제작으로."

"저기요. 근데 유노 사이즈면 인형을 만드는 가게가 나을 텐데?"

"싫어. 나는 인간과 같은 데서 만든 게 좋아."

브랜드 물품을 원하는 건지, 인형 취급이 싫은 건지……
후자로군.

산다면 가격이 얼마나 할까? 모은 돈이 꽤 있어서 고가품
이라고 못 살 정도는 아닌데―.

"있지, 루온. 이왕이면 비싼 곳에서 묵자."

"……돈이 있어도 복장이 안 어울리잖아."

"천사인 내 얼굴을 봐서 허락해준다든가?"

"저기요……. 아무 말 안 하면 정령이라고 생각할걸."

수도에 여러 번 와봤지만, 유노가 주목을 받은 적은 없었
다. 정령과 계약한 사람이 많아서 그녀 같은 존재가 여기저
기 있기 때문이었다.

게임에서는 땅, 물, 불, 바람, 이른바 4대 원소와 관련된
정령과 계약할 수 있었다. 그러나 그런 정령만이 아니라 숲
에 있는 요정 같은 정령이라든가, 바다에 있는 인어 같은 정
령과도 계약할 수 있어서 도시에는 사람이 정령을 데리고
걷는 광경이 드물지 않게 보였다.

뭐, 반년 동안 수행했으니까 쉬어도 되겠지― 그런 생각을
했을 때였다.

아우우―.

"……응?"

눈살을 찌푸리고 멈춰 섰다. 짐승⋯⋯인가, 늑대의 하울링에 가까운 울음소리.

"마물인가?"

유노가 말했다. 나도 그런 것 같았지만, 어디 있는지 판단이 안 섰다.

"루온, 마물은 보통 기사단이 구제하지?"

"응. 마물 무리를 발견했을 경우에는 토벌대를 편성해. 사람이 사는 곳이라 온갖 대책이 세워져 있으니 마을 안에 있으면 보통은 마물에게 공격당하지 않아."

"하지만 지금은 마물이 가까이 있는데?"

"수도는 북쪽에서 서쪽에 걸쳐서 산이 있잖아? 이런 데는 아무래도 마물이 출현하니까—."

설명하는 동안에도 울음소리가 들렸다. 산 정상 부근에는 바람 소리만 들려서 울음소리가 귀에 잘 들어왔다.

"으음, 어디지⋯⋯? 유노, 어딘지 알겠어?"

"아니—."

유노가 시원하게 고개를 가로저었다. 흠, 감으로 움직여야 하나?

마을로 가는 것을 중단하고 주변을 산책했다. 그러자—.

"무슨⋯⋯ 소리가 들려."

갑자기 유노가 말했다.

"소리?"

"루온이 늘 내는, 금속이 무언가에 부딪히는 것 같은—."

그녀가 거기까지 말했을 때, 내 귀에도 또렷하게 들렸다. 키잉, 금속이 단단한 것에 부딪히는 소리—.

그 소리가 몇 번 이어졌고, 나는 달리기 시작했다. 틀림없이 누군가가 싸우고 있었다.

훈련일 수도 있었다. 하지만 조금 전, 마물의 울음소리에 이어 금속음이라니— 둘은 연관되어 있다고 직감했다.

소리가 나는 방향은 수도에서 봤을 때 서북쪽— 반대쪽 산기슭에 있는 숲 쪽이었다.

"보상이라도 주려나?"

"혹시나 해서 말하는데 보상받고 싶어서 가는 거 아니다?"

"알거든?"

금속음이 가까워졌다. 더 빠르게 숲속을 내달리자, 이내 시야에 하얀 외투에 후드를 뒤집어쓴 검사가 눈에 들어왔다.

이어서 그 인물이 대치한 마물도 발견했다. 인간만 한 체격의 곰. 팔과 머리에 금속이 붙은 것이…… 체격은 작지만, 나는 『아머 베어』라고 확신했다.

상대하는 인물은 고전하는 모양이었다. 그래서 나는 그사이에 끼어들었다!

"에잇!"

먼저 마물을 옆에서 걷어찼다. 기습 공격이라 아예 단번에 쓰러뜨려도 됐지만, 만약 격파에 실패하면 하얀 외투의 인물에게 목숨 걸고 공격할 우려가 있었다. 이 인물의 안전 확보가 먼저였다.

"괜찮아?"

나는 마물과 대치하며 물었다.

"다친 곳은?"

"아…… 그, 괜찮습니다."

여자 목소리― 왜 검을 가지고 이런 곳에 있느냐는 질문은 마물을 쓰러뜨린 다음에 하자.

대화하는 동안 아머 베어가 태세를 가다듬었다. 공격대상을 나로 바꿨는지 나를 보며 몸을 앞으로 기울였다.

자…… 지금 실력이면 간단하게 죽일 수 있지만, 보는 눈이 있으니 조금 가감하자. 지금 단계에서 전력을 보여줘도 마족이 주목하지는 않겠지만, 만약을 위해―.

전신의 마력을 활성화해 마력 장벽을 만들며 신체를 강화했다. 그 직후, 아머 베어가 돌격했다. 사납게 달려오는 모습이 사람을 공포에 질리게 하기 충분했으나 공교롭게도 내게는 통하지 않았다.

그뿐만이 아니라 마물이 공격해 오는 잠깐 사이에 주문을 외우는 여유마저 있었다.

"―빛이여."

작게 외우며 『홀리 샷』을 쐈다. 빛의 탄환이 아머 베어에게 날아가 복부에 직격했다. 공기가 터지는 듯한 소리가 나고 마물이 크게 멈칫했다.

그 틈에 나는 다시 주문을 외우며 발을 앞으로 내밀어 공격을 개시했다.

"흡!"

작게 기합 하며 『연속 베기』를 했다. 검이 멋지게 들어가며 베어가 크게 몸을 젖혔다.

여기서 추가 공격으로 『홀리 샷』을 쐈다. 이번에는 머리에 직격— 틈을 주지 않고 결정타로 검을 휘둘렀다.

가슴을 조준해 깨끗한 궤적을 그리자— 마침내 마물이 쓰러지고 먼지가 됐다.

"좋았어."

아주 잘 풀렸다. 신체 강화하는 방법 등도 상대에게 맞춰 대응해냈다. 후방에 있는 여자에게는 평균 수준의 마력을 가진 기량 있는 검사로 보였겠지.

숨을 가다듬고 돌아봤다. 마을을 지키기 위해 마물을 퇴치한 적은 있지만, 이렇게 개인을 구하는 건 처음이라 조금 긴장했다.

"마물은 쓰러뜨렸어. 이제 괜찮—"

나는 말하다가 입이 굳어버렸다.

"……감사, 합니다."

몸에 스미는 것 같은, 마음을 울리는 듯한…… 그러면서 어딘가 앳된 아름다운 목소리로 감사를 표하는 여자. 어느 새 후드를 벗었는지 눈이 마주쳤다.

가장 먼저 눈길을 끈 것은 은색 머리카락. 한 줌의 더러움도 없는 그 머리카락을 보고 고귀한 인물이라고 직감했다. 나를 꿰뚫는 투명한 푸른 눈. 신장은 나보다 머리 반 정도 작았지만 평균 여자 신장보다 조금 큰 것 같았다.

그리고 말문이 막힐 정도로 날렵한 콧날의 아름다운 외모. 루온과 전생, 두 기억을 가진 나도 여태껏 보지 못한— 그야말로 『절세』라는 말이 앞에 붙는 게 지극히 당연한 미인이었다.

또, 그녀에게서 느껴지는 기척이 참으로 덧없어서 잠깐이라도 눈을 떼면 눈앞에서 사라질 것 같을 정도라…… 솔직히 감도는 분위기며, 몸 선이 가늘어서 손에 든 장검이 무척 언밸런스했다.

"아, 어……."

나도 모르게 말을 더듬었다. 분위기에 압도당하기도 했지만, 그것만이 이유는 아니었다.

첫눈에 보고 확신했다. 나는 이 인물을 알고 있다. 물론 실제로 만나는 건 처음이지만.

그녀는— 발크스 왕국의 왕녀, 소필리아였다.

왕녀를 만나고 나는 머릿속으로 외쳤다. 실물— 그렇다, 틀림없는 소필리아 왕녀였다—!!

게임에서 받는 인상과 현실에서의 인상이 당연히 다를 줄 알았다. 게임 이미지가 미화된 거라 실망하면 어쩌나 했다.

　하지만 기우였다. 『엘더즈 소드』의 세계로 전생하고 처음으로 게임 등장인물과 만났다. 가뜩이나 왕녀라서 긴장되는데 거기에 게임 등장인물을 만났다는 사실이 내게 깊은 감동과 긴장감을 동시에 줬고, 게다가 외모와 분위기가 상상을 훨씬 뛰어넘었다.

　"저기……?"

　왕녀가 침묵하는 내게 입을 열었다. 나는 이대로는 곤란하다고 생각하고 말을 짜냈다.

　"아, 음…… 다친 데는?"

　"괜찮습니다."

　왕녀가 대답했다. 어라, 아까도 똑같은 질문을 한 것 같은데…… 이런, 생각보다 충격이 컸다. 어떻게든 원 상태로 돌아와야—.

　"오오, 엄청난 미인."

　그런 와중에 유노가 스스럼없이 말하며 내 주머니에서 모습을 드러냈다. 소필리아 왕녀가 그녀를 보고 눈을 동그랗게 떴다.

　"……정령님, 이십니까?"

　"아니, 아니. 나는 천사 유노. 유적에 봉인됐었는데 얘가 구해줘서 같이 여행 중이야."

유노가 자기 이야기를 했다. 그렇게 가볍게 말해도 되나 싶으면서…… 어찌어찌 머리를 굴려 현재 상황을 분석해봤다.

일단 내가 그녀가 왕녀임을 아는 것은 이야기가 복잡해지니 언급하지 말 것. 어디까지나「처음 보는 사람을 도와줬는데 그 사람이 왕녀였다」고 하는 편이 나았다. 그녀를 만나서 줄거리가 변했는지는…… 확인할 방법이 없으니 내버려 둬야 했다.

이 상황에 내가 할 수 있는 것은…… 줄거리에 이 이상의 영향을 주지 않도록 원만하게 물러나는 것이었다.

"……이제 괜찮은 것 같으니 저는 가보겠습니다."

그렇게 말하자 왕녀가 커다란 눈을 크게 떴다.

"아, 저기. 성함을, 여쭈어도 되겠습니까?"

"……루온 마딘."

나도 모르게 대답해버렸다. 그러자 왕녀가 작게 미소 지었다.

"혹여 괜찮으시다면, 보답을……."

보답이라니…… 성으로 데려가지는 못할 텐데 어쩔 셈이지?

확인하고 싶은 욕구에 시달렸으나 이 이상 간섭하지 않고 끝내는 게 중요했다. ……그렇게 생각하고 물러나려던 때, 수풀을 헤치는 소리가 났다.

"소피아 님!"

또 여자 목소리였다. 아마 왕녀를 쫓아온 사촌 동생 에이나일 것이다.

큰일이다 싶었지만, 이미 늦었다.

"소피아 님, 무사—."

모습을 드러낸 인물이 도중에 말을 멈췄다. 당연히 그녀의 시선이 나를 향했다.

위아래로 투박한 회색 갑옷을 입은 은발 여자. 훈련용 장비인가 보다. 머리카락 색은 소피아 왕녀와 같으나 눈 색이 비취색에 가까웠다.

분위기랄까, 기척은 왕녀와 비슷해서 갑옷보다 드레스가 더 잘 어울릴 것 같았다. 왕족 가문에는 이들처럼 절세 미녀만 있나?

"……아, 그."

새로 등장한 에이나에게 뭐라 설명해야 하나 망설이는데—그녀가 갑자기 눈을 부라렸다.

"네 이놈……! 왜 왕녀님께 검을—."

아, 이런! 나는 지금 검을 뽑아 들고 왕녀와 마주 서 있었다.

"자, 잠깐만!"

"문답 무용! 검을 겨누다니 죽어 마땅하다!"

그녀의 발언은 살기로 가득했으나 목소리가 어린아이 같아서 박력이 거의 느껴지지 않았다. 그녀가 천천히 검을 뽑아 들고 내게 돌격하려고 했다.

"기다려, 에이나."

그때, 왕녀가 에이나를 정중하게 말렸다. 에이나는 멈춰섰다.

"소, 소피아 님?!"

"이 분은 마물에게 공격당한 나를 구해주셨어."

공허함을 담은 목소리로 그녀가 설명했다. ……에이나는 물러나는 수밖에 없었다.

"어, 음, 죄송했습니다. 여행가님."

"……그건 괜찮은데―."

그때, 유노가 입을 열었다. 에이나는 그제야 알아차렸는지 놀라서 그녀를 봤다.

"처, 천사?"

"응, 그런데. 질문해도 돼?"

"……하시지요."

"이 사람, 왕녀님이야?"

―격앙해서 왕녀라고 말한 줄 몰랐는지 에이나가 몸을 굳혔다. 일부러 꼬집지 않았으면 원만하게 끝났을 텐데…… 나도 유노를 말리지 못한 건 잘못했지만.

"……말해버렸으니 어쩔 수 없군요."

그렇게 말한 왕녀가 내게 자기소개를 했다.

"제 이름은 소필리아 아이셈 발크스…… 이곳 발크스 왕국의 왕녀입니다. 이 아이는 사촌 동생인 에이나 포크드. 여행가님, 구해주셔서 정말로 감사합니다."

"……왜 이런 곳에 왕녀님이?"

이유는 이미 알지만, 이야기 흐름 상 그렇게 묻는 게 나을 듯했다. 왕녀는 쓴웃음을 지었다.

"저는 종종 이렇게 성을 나와 산을 둘러보곤 한답니다."

그 표정이…… 어딘지 어린아이 같기도 하고, 조금 전까지의 공허함이 줄고 인간미가 늘어난 것처럼 느껴졌다.

"……소피아 님."

에이나가 걱정스럽게 입을 열었다.

"부탁이니 개별 행동은 하지 말아주십시오."

"미안해. ……그럼, 여행가님. 괜찮으시다면 보답을—"

"성에 들어가게 해줄 거야?!"

유노가 이때다, 하고 앞으로 나왔다. 야, 잠깐만. 괜한 짓 하지 마! 지금까지의 일을 생각하면 흥분하는 것도 이해가 되지만—

"천사님, 성에 가보고 싶으세요?"

"응!"

유노가 힘차게 고개를 끄덕였다. 아아, 망했어……. 이렇게 눈을 반짝이는 건 처음 봤다. 말려봤자 헛일이었다.

나만 빠지면 너무 이상하고…… 그렇게 생각하고 있는데 유노가 나를 돌아봤다.

"루온도 갈 거지?"

"……그래."

오히려 유노가 이상한 말을 하지는 않을까 주의할 필요가 있겠다. 어쩌다 에이나를 보니 당황한 얼굴이 보였다. 하지만 왕녀의 의향에 따를 터였다.

엄청나게 흥분한 유노와 그녀를 흔쾌히 받아주는 소필리아 왕녀. 그들을 한 걸음 뒤에서 바라보는 나와 에이나……. 이 만남이 게임 시나리오에 어떤 영향을 끼칠지는 모르지만, 마음속으로 주사위는 던져졌다고 생각했다.

입성 후, 다가온 기사에게 왕녀가 직접 경위를 보고했다. 그동안 우리는 응접실에서 기다렸는데—

"오오오오! 완전 비싸 보이는 항아리!"

"……유노, 흥분해서 모든 것에 놀라게 됐구나."

냉정한 태클도 지금의 그녀에게는 무의미했다.

안내받은 방은 호화찬란하지는 않지만, 나름 꾸며놔서 내게는 화려한 곳이었다. 다만 무늬가 적어서 무척 심플한 인상을 주는 것도 사실이었다. ……잠시 뒤, 똑똑 노크하는 소리가 들려왔다.

"네."

대답하자 문이 열리고 한 기사가 나타났다.

금녹색으로 장식한 갑옷을 입은 백발이 섞인 남자. 나이는 마흔에서 쉰 정도? 무엇보다 용맹한 외모에 나이가 느껴지지 않는 조용한 박력이 느껴졌다.

"일단 제 소개를 하겠습니다. 저는 발크스 왕국 기사단 부단장인 포레 올라크입니다."

이름을 듣고 생각났다……. 이 사람은 게임 등장인물 중 하나로 왕녀의 사촌 동생인 에이나를 주인공으로 선택했을 때, 줄거리 도중에 대화할 수 있는 인물이었다.

혈혈단신으로 납치된 왕과 왕녀를 구하러 가지만 한 걸음을 남겨두고 실패했다고 에이나에게 말하는 조연이었다.

"왕녀님을 구해주셔서 진심으로 감사드립니다. 기사단을 대표해서 예를 올립니다."

"아, 아뇨……. 그저, 당연한 일을 했을 뿐입니다."

그렇게 대답하는 게 고작이었다.

솔직히 부단장이라는 직위 하나만으로 내게 압박을 주기에 충분했다. 내심 실수하지 않을까 불안했고, 유노가 괜한 말을 꺼내지 않을까 불안했다.

"그런고로 여러분을 성으로 초대하고 싶습니다. ……잠시 머물러주시길."

"응응, 그렇게 나와야지."

유노가 말했다. 제발 그만 하라고 내심 말하고 싶었지만, 한심한 모습을 보이기도 뭣해서 침묵을 관철했다.

그녀의 말에 포레는 살며시 미소 지었다.

"그럼 방으로 안내하겠습니다. 그리고 폐하도 꼭 이야기를 나누고 싶다고 하셔서 식사를 준비 중입니다."

……일이 엄청 커졌는데? 왕녀에 이어서 이번에는 왕과 식사라니—!

유노가 말문이 막힌 나를 무시하고 즐겁게 「응!」 하고 대답했다. 너무 촐랑거려서 어깨가 처졌다.

우리는 포레의 안내를 받아 침대가 있는 객실로 갔다. 그곳도 내게는 과한 방이었다. 평소에 머무는 값싼 방이 열 개는 들어갈 만큼 넓었다.

솔직하게 말하겠다. 전혀 침착할 수가 없었다.

"식사 시간까지 이곳에서 기다려주십시오."

그 말을 남기고 포레는 나갔다. 남겨진 나는 문을 보고…… 깊은 한숨을 내쉬었다.

"……어쩌다 이런 일이."

"이거 봐, 루온! 경치가 최고야!"

유노가 테라스로 이어지는 창문을 들여다보며 말했다. 나는 그녀에게 원망하는 시선을 보내면서도 그쪽으로 다가갔다.

성의 위층답게 밖— 눈 아래로 아름다운 거리가 보였다. 그 풍경이 내게 조금이나마 감동을 준 것은 사실이나…… 앞으로 시작될 이벤트에 머리를 감싸 쥐었다.

"하아…… 유노, 있잖아."

"표정이 왜 이리 불만스러워?"

"아니, 내가 사정을 설명했잖아? 소필리아 왕녀…… 그녀와 접촉하는 건 문제가 있다고."

"시나리오가 바뀔 수도 있다고?"

"그래."

"에이, 어떻게든 된다니까~?"

완전히 들떴구만, 이 녀석……. 나는 설득을 포기하고 침대에 몸을 던졌다.

전생에서도 느껴본 적 없는 부드러운 감촉이 느껴졌다. 모든 게 지금까지 경험해보지 못한 일이라 게임 지식도 도움이 안 됐다.

"……하아. 뭐, 여기까지 왔으니 하는 수 없지."

"그래, 그래. 인간은 단념이 중요해."

머리를 한번 콕 찔러줄까, 그런 시선을 보내자 유노가 알아차렸는지 꺅꺅거리며 천장 가까이 날아다녔다. 다시 한숨을 내쉬고 그 광경을 바라보는데— 갑자기 노크 소리가 들렸다.

아까 포레가 낸 소리와 달랐다. 룸서비스는 아닐 거라 생각하며 문으로 다가가 열었다.

"네, 누구—."

말문이 막혔다. 그곳에는—.

"갑자기 죄송합니다."

소필리아 왕녀…… 품이 넉넉한 하얀 드레스를 입은 그녀가 있었다.

현기증이 날 정도로 아름다웠다. 외투를 입었을 때와 자

아내는 분위기는 바뀌지 않았는데 드레스를 입은 것만으로 미려함이 다섯 배 정도 늘었다.

액세서리는 거의 보이지 않았다. 목에 작은 펜던트 정도만 했는데, 오히려 그래서 이런 분위기가 생긴 게 아닐까 싶었다.

"……루온 님?"

왕녀가 고개를 갸웃거리며 물었다. 님을 붙인 호칭에 내심 동요하며 어찌어찌 목소리를 짜냈다.

"아, 어…… 그게, 혼자 오셨습니까?"

"네. 대화를 하고 싶어서요."

쓴웃음에 가까운 미소. 분명 아무에게도 말하지 않고 왔으리라.

내게 왕녀를 돌려보낸다는 선택지가 있는 것도 아니라 안으로 들어오라고 했다. 그리고 테이블과 의자를 손으로 가리켜 권했다.

그녀가 앉은 후, 나는 맞은편 자리에 앉았다. 눈이 마주치자 다시 몸이 긴장했다.

"경치, 엄청 좋네~."

유노가 테이블에 내려서서 왕녀에게 말을 걸었다. 반말해도 되나 싶은데 소필리아 왕녀는 신경 쓰지 않았다.

"이 나라의 자랑 중 하나죠. ……그리고 이 경치는, 국민에게 감사해야 합니다."

"감사?"

"사람들의 노력 덕분에 만들어진 경치입니다. 성 내에는 자기가 만들었다고 오해하는 사람이 많습니다만…… 백성이 나라를 만들고, 수도를 만드는 겁니다."

"하아— 그렇구나."

유노가 감동했다는 듯이 대꾸했다. 말하는 왕녀의 눈빛에 무척 굳은 심지가 엿보였다.

왕족— 전생의 만화와 소설에서 왕족은 두 가지 역할을 많이 맡았다.

하나는 폭군. 국민에게 무거운 세금을 부과하고 사리사욕을 위해 행동하는 인물. 혹은 침략 전쟁을 일으켜서 압정을 펼치는 것도 폭군에 해당할까. 이런 경우에는 이야기의 최종 보스인 케이스가 많았다.

그리고 다른 하나는 선정을 베푸는 명군. 그 외에도 암군 같은 다양한 왕족이 있지만, 이야기와 크게 얽힌 경우에는 폭군이나 명군이 많았다.

그녀는 분명히 후자였다. 창밖을 바라보는 그녀의 눈에는 국민을 생각하는 뜻이 담겨 있었다.

"……제게 하실 말씀이 있다고 하셨습니다만."

나는 입을 열었다. 그러자 소필리아 왕녀가 나를 바라봤다.

"네. ……말하기 불편하시면 평소처럼 말씀하셔도 괜찮습니다."

그렇게 말씀하셔도 조건반사적으로 높임말을 쓰게 됩니다.

"아, 아뇨, 신경 쓰지 마십시오……. 그래서 하실 말씀은?"

"조금 전의 전투, 훌륭했습니다. 그 힘, 어떻게 갖게 되었는지…… 부디 가르쳐주셨으면 합니다."

"왜 그런 걸 바라?"

유노가 직구를 던졌다. 유노가 무서운 줄도 모르고 날카로운 질문을 던져서 정말 고마웠다. ……하지만 이런 상황에 부닥친 것도 그녀 때문이니 평가로서는 마이너스지만.

"지금보다 강해지고 싶습니다."

강해지기 위해서인가……. 그런데 왕족이면서 힘을 갈구하다니 뭔가 이상하기도 했다.

"왕녀님이라면 강해질 필요 없을 것 같은데."

"그렇게 생각하는 것도 당연합니다. 하지만 기사 훈련을 받고 마법을 배우는 저는 백성을 위해 싸우고 싶습니다."

무척 강인한 어조…… 마왕이 습격한다는 예상은 당연히 하지 못했으리라. 타고난 정의감— 백성이 나라를 만든다고 인식한 그녀는 왕족으로서 자신이 무엇을 할 수 있는지 생각하는 것 같았다.

"……백성을 위해서라."

유노가 팔짱을 꼈다.

"있지, 이 나라 왕의 후계자는 왕녀님이야?"

"아마도요. 과거에 여왕이 있었으니 이상하지 않습니다."

"그럼 강해질 필요 없잖아? 왕은 시정자(施政者)잖아? 그럼 그런 걸 배워야 하지 않아?"

왕녀의 마음을 찌르는 발언……! 괜찮을지 불안해하는데 그녀가 미소를 보였다.

"이해합니다. ……하지만 제가 하고 싶은 말은 그 이전의 이야기입니다."

"그 이전의 이야기?"

유노가 고개를 갸웃거렸다. 나도 신경 쓰여서 기다리니 왕녀가 말했다.

"언젠가 나라를 짊어져야 한다는 것은 압니다. ……그중에 제가 할 수 있는 것은 시정자로서 나라를 안정으로 이끄는 것과 만약의 때, 선두에 서서 싸우는 것이라고 생각합니다."

―소필리아 왕녀의 아버지인 현재 왕은 무용(武勇)이 뛰어나 기마를 타고 달려 마물을 격파했다는 무용담이 많았다. 현재는 나이 때문에 실력이 쇠했지만, 왕녀가 아버지의 영향을 받은 게 틀림없으니 그런 결론에 이르는 것도 당연했다.

"……흐으응."

관심이 있는지 없는지 유노가 맞장구를 치고 내게로 시선을 돌렸다.

"루온, 말해줘."

"……뭐, 상관은 없지만."

하지만 동굴에서 필사적으로 수행 중이라고는 말하지 않는 게 낫겠지. 그리고 루온의 과거도 말하지 않는 편이 좋을까.

나는 말을 신중하게 고르며 설명했다.

"복잡한 무언가를 한다거나 그러지는 않습니다. 모험가로서 마물과 싸운다…… 단, 다른 사람들과 다른 것은 제게 맞는 성장 방법을 찾는 것입니다."

"성장, 방법?"

"보시는 바와 같이 저는 체격이 좋은 것도 아니고 배운 게 있는 것도 아닙니다. 하지만 제가 그만큼 강해진 것은 마력에 나름대로 재능이 있어서 그 부분을 키우면 마물에 대항할 수 있다고 알았기 때문입니다."

"마력을…… 그렇군요."

소필리아 왕녀가 고개를 끄덕이며 진지하게 귀담아들었다. 진지한 태도에 나는 또다시 동요하며 어찌어찌 말을 이었다.

"왕녀님은 현자의 후예이니 많은 재능이 있으실 거라 생각합니다만…… 무엇이 가장 자기와 잘 맞는지 검증하는 것도 하나의 방법 아닐까요?"

게임에서는 검과 마법 둘 다 한계까지 키웠지만, 필사적으로 수행 중인 나도 그 경지에 이르기는 어려웠다. 다만, 왕녀는 현자의 후예이니 사정이 다를 수도 있었다.

"알겠습니다. 루온 님은 왜 모험가로 활동하십니까?"

……그렇게 물으니 말하지 않을 수가 없네. 얼버무리는 것도 하나의 방법이지만, 지금 정신 상태로는 거짓말을 해봤

자 금방 들킬 것 같고, 왕족을 상대로 기가 죽었다.

"그, 어릴 적에는 어느 나라 귀족의 아들로……."

집을 부흥시키려고 활동하는 거라고 말했다. 그냥 짤막한 이야기 정도로 들어줬으면 좋겠다고 생각했으나―.

"……죄송합니다. 깊이 파고들었네요."

내가 말을 끝내자 왕녀가 면목 없는 표정을 지었다.

"네? 아, 아뇨……. 마음 쓰실 필요 없습니다."

"하지만……."

"이런 인생을 겪어야 얻을 수 있는 것도 있으니까요. …… 저는 만족합니다."

그렇게 말하자 왕녀도 더는 뭐라 하지 않고 미소 지으며 고개를 끄덕였다.

그 뒤, 방을 나가는 왕녀를 배웅하자 유노가 입을 열었다.

"이야…… 정말 아름다운 사람이네."

"그러게."

"게다가 국민들을 생각하며 강해지려고 하고…… 외모도 성격도 뜻도 완벽해. 루온이 왜 반했는지 알겠어."

"아니…… 게임에서 마음에 든 거지 딱히 반한 건―."

"정말로?"

유노는 장난치는 데 성공한 아이처럼 웃었다.

나는 어깨를 으쓱하고 그녀의 물음에 대답했다.

"정말로. 무엇보다 왕녀님과 모험가인 나는 너무 안 어울리잖아."

"신분 차이가 나는 사랑이란 불타오르는 전개 중 하나잖아?"

"저기요……."

당분간 이걸로 놀림당할 걸 생각하니 좀 별로인데…… 우리는 식사까지 남은 시간을 방에서 보냈다.

밤이 되자 나와 유노는 시녀의 안내를 받으며 드디어 식사 장소에 갔다.

역시 대신과 기사들이 총출동하지는 않았다. 하지만 왕이 오자 긴장이 극에 달했다.

왕의 이름은 클로디우스. 발크스 왕국의 왕이자 소필리아 왕녀의 아버지다.

"말괄량이 딸을 구해주어 고맙네."

왕이 위엄 있는 목소리로 감사를 표하고 식사가 시작됐다. 식사 장소가 성의 한 방인 것은 분명한데 솔직히 내가 어디 있는지 전혀 모르겠다. 내가 쓰는 방과 크기가 비슷한 걸 보니 객실일 수도 있겠다.

인원수는 나와 유노를 제외하고 세 명. 왕과 왕녀와 기사 에이나…… 참가자를 고려하면 사적인 자리인 모양이었다. 나는 마음속으로 안심했다. 많은 사람에게 둘러싸여 식사했다가는 졸도해서 쓰러졌을 것이다.

왕은 나이에 어울리는 백발에 얼굴은 주름이 졌지만, 조용한 박력이 있어서 역시 왕이라고 내심 감탄했다. 지금은 붉은 바탕의 법의를 입었다. 옥좌에 있을 때와 분위기가 거의 다르지 않을 것 같았다.

나는 왕의 맞은편에 앉았다. 내 쪽에서 봤을 때, 왕의 오른쪽에 소필리아 왕녀, 왼쪽에 기사 에이나가 있는데 그녀는 남자가 입을 법한 흰옷을 입고 있었다. 전생의 정장처럼 말쑥한데…… 기사복인가?

화제는 주로 나에 대한 것이었다. 꼬치꼬치 캐묻는 수준은 아니었지만, 왕녀에게 말한 것과 비슷한 설명을 하자 왕이 말했다.

"그런가. 고생이 많았군. 집을 부흥시키기 위해서인가."

"네."

"도울 일이 있겠는가?"

……찬찬히 생각해보니 최고의 연줄을 잡은 상황이네.

"아뇨, 괜찮습니다."

"그런가……. 귀하에게 빚을 졌다. 도움이 필요하다면 도와주겠네."

"감사합니다."

"화제를 바꾸지. 그 힘은 귀족 교육을 받은 영향도 있는가?"

"그렇다고 생각합니다. 다만, 제가 어떻게 강해질지 방법을 찾아 헤매는 중이라 어디선가 한계에 부딪힐지도 모릅니다."

쓴웃음을 지으며 요리를 입으로 옮겼다. 고기 요리 같은

데 솔직히 아무 맛도 느끼지 못했다.

"─저기, 질문해도 돼?"

긴장 속에 유노만이 태연하게 왕에게 물었다. 유노의 말투에 에이나가 미간을 찌푸렸으나 당사자인 왕과 왕녀가 미소로 대답해서 유노는 조금도 고치지 않았다.

"폐하는 왕녀님이 성을 빠져나간 걸 어떻게 생각해?"

"예전에 소피아─ 딸에게도 말했지만, 나는 스스로 생각해야 한다고 보네. 자기 의사로 정한 것이라면 이러쿵저러쿵하지 않을 게야. 하지만─."

왕이 난처한 얼굴을 보였다.

"홀로 행동하는 것은 되도록 피해줬으면 좋겠군."

"……네."

왕녀는 조용히 대답했다. 왕이 그렇게 말하는 것도 당연했다.

"질문 하나 더."

유노가 다시 물었다. 나는 내심 두근두근하며 지켜봤다.

"우리가 왕녀님을 구해서 초대받긴 했지만…… 폐하가 직접 식사에 참여하는 건 좀 이상해서."

"딸을 구해줬다고는 하나, 내가 모험가인 자네들을 만나는 것은 이상하다고?"

"그렇다는 거지."

"음, 여러 이유가 있는데…… 하나는 천사와 여행하는 모험가가 어떤 인물인지 보고 싶다는 호기심이었네.”

즉, 유노 때문인가.

“그리고 또 하나. 예감했다.”

“예감?”

“루온 공과 이렇게 얼굴을 마주하면 무언가 있을 것 같다는 예감이네.”

그게— 무슨 말이지?

“나는 현자의 후예이기 때문인지 간혹 예언 같은 힘이 나타나네. ……아니, 예언이라기에는 말이 지나치군. 누군가와 인연을 맺거나 어떤 일에 입회해서 나중에 좋은 결과를 낳는 직감 같은 것이지.”

“저와의 만남이…… 뭔가 좋은 결과를 낳는다고요?”

내가 질문하자 왕이 바로 고개를 끄덕였다.

“그렇다네.”

이건…… 그렇게 왕과 마주 보고 있자 이번에는 소필리아 왕녀가 말을 꺼냈다.

“아버님. 루온 님과의 만남에 무언가 의미가 있습니까?”

“어디까지나 내 견해다만. 루온 공, 그렇다고 부담가질 필요 없네. 귀하는 목적을 위해 행동하면 돼.”

그렇게 말해도…… 내가 침묵하자 또 예상 못 한 말이 날아왔다.

“그런데 루온 공.”

"아, 네."

"앞으로도 계속 여행할 건가?"

"그럴 생각입니다만."

"그렇다면…… 제안하겠네만, 한동안 이곳에 머무르는 것은 어떤가? 딸의 생명의 은인인데 고작 하루 대접하는 것은 어울리지 않지."

……이야기가 엄청 커졌다. 원만하게 거절하는 게 좋겠지만—

"그리고 천사님과도 여러 이야기를 나누고 싶네."

"네! 기꺼이!"

—내가 고민하는 사이, 유노가 떡밥을 물고 신나게 승낙해버렸다.

나도 모르게 머리를 감싸 쥘 뻔했다. ……그녀가 동의해버렸으니 철회할 수 없었다.

"……알겠습니다. 그, 잘 부탁드립니다."

"그렇게 어려워하지 말게나."

아뇨, 그렇게 말씀하셔도 무리예요……. 마음속으로 말을 꺼내는 사이, 폐하는 미소를 지어 보였고— 이리하여 나는 성에 한동안 머물게 됐다.

침착할 수 없는 침대에서 잔 다음 날— 우리는 성을 견학시켜주겠다며 안내를 맡은 에이나와 함께 복도를 걸었다.

"이 앞에 옥좌가 있습니다. 오늘은 알현 예정이 없어 사용하지 않습니다."

설명하는 그녀를 곁눈질하며 주위를 둘러봤다. 복도에는 주름 하나 없는 붉은 융단이 깔려있고 높은 천장과 하얀 대리석 같은 광택을 띤 기둥과 벽이 있었다. 여기저기 놓인 촛대는 마법 빛으로 실내를 한낮처럼 밝혔다. 듣자 하니 생활 리듬을 만들기 위해 밤에는 마법 빛도 꺼진다고 했다.

"이 앞으로 가면 식당이고, 안으로 더 가면 훈련장이 있습니다. 몸이 둔해지지 않도록 하는 정도입니다만."

"그렇군요."

맞장구를 치며 우리는 식당과 다른 방향으로 갔다.

"이쪽은 성의 끝으로 가는 길로, 정원이 있습니다."

"정원……."

성은 성벽으로 안팎을 구분했다. 안쪽은 초목이 우거졌는데 정원이 있는 곳은 마치 숲처럼 보일 정도로 푸릇푸릇했다.

"……소필리아 님."

에이나가 입을 열었다. 그녀를 따라 시선을 돌리니 왕녀가 정원에서 검을 휘두르고 있었다. 물론 드레스가 아니라 질이 좋은 옷을 입고 있었다.

"……끝쪽은 눈에 띄지 않아서 왕녀님이 종종 이곳에서 훈련하십니다."

에이나의 설명에 내가 「그렇군요」라고 대답했을 때, 왕녀가 검을 멈췄다.

"루온 님, 좋은 아침입니다."

왕녀가 공손히 인사했다. ……이름 뒤에 붙은 님 자가 참 겸연쩍었다.

"좋은 아침입니다. ……왕녀님, 혹시 매일 훈련하십니까?"

"네. 기사인 몸이니 훈련은 필수입니다."

"그것을 핑계 삼아 가끔 몰래 바깥에 나가십니다."

에이나가 덧붙였다. 왠지 푸념처럼 들렸다. 어제처럼 행동하지 않을까 불안해 보이기도 했다. ……왕녀가 나를 봤다.

"루온 님께 부탁이 있습니다."

"……대련입니까?"

"아뇨, 그렇게까지는…… 다만 마물과의 전투에 대해 이것저것 조언해 주셨으면 합니다."

밖에 나갈 생각으로 가득하잖아. 나는 불안한 표정을 짓는 에이나를 곁눈질하고 고개를 끄덕일 수밖에 없었다.

"감사합니다."

순간 왕녀가 만면의 미소를 지었다. 심장이 덜컥하다가 문득 어떤 것을 깨달았다.

"그러고 보니…… 왕녀님을 지도하시는 분은……?"

"제 스승님은 성에 없습니다. 지금은 현역 기사와 마법사에게 가르침을 받고 있습니다."

"왕녀님은 공부를 상당히 좋아하시거든요."

에이나가 보충 설명했다.

"지식 양으로만 따진다면 아카데미아에서 공부하는 분에게도 지지 않습니다. 단, 어디까지나 지식만 따진 거라『도사 마법』을 쓰지는 못합니다."

"장래를 위해 대비하는 것은 나쁘지 않다고 생각합니다."

내 말에 왕녀가「감사합니다」라고 감사를 표했다.

왕녀에게 기술과 마법에 관해 이래저래 질문해보니…… 에이나의 말대로 지식은 상당하다고 단정할 수 있었다. 마법은『자격』이 없고『기술』도 아직 멀었지만, 성장함에 따라 점점 습득하리라.

기술도 그랬다. 검술은 기사단 내에 체계화되어 있는지 기술의 흐름 등은 중급, 상급 기술도 지식으로 배운 모양이었다.

왕녀라는 위치는 다양한 정보를 접할 기회가 있을 테니, 그래서 그만한 지식을 가진 걸까?

"—루온 님, 성에는 얼마나 머무실 생각이십니까?"

갑자기 왕녀가 물었다. 얼마나 머물 거냐고 물어도 대답하기 곤란했다.

"아, 아뇨, 그……."

"원하신다면 오래 머무셔도—."

"그럴 수는, 없습니다……. 그, 생각해보겠습니다."

내 답변에 왕녀가 순간 아쉬운 얼굴을 보였으나 곧 표정을 고쳤다.

—이후, 성에 머무는 동안 왕녀와 만나지 않은 날이 없었고 긴장이 풀려 마음이 편해진 것은 사실이었다. 하지만 계속 성에 있을 수는 없었다.

　그나마 다행인 것은, 이번 일을 사적으로 처리해서 귀족 내통자가 마족에게 나에 대해 알릴 가능성이 작았다.

　단 하나 의문이 있었다. 왜 이렇게까지 내게 관심을 보이는가.

　"그야 간단하지."

　성을 떠나기 전날 밤. 방 안에서 유노가 내게 말했다.

　"루온이 마음에 드니까 그러는 거잖아."

　"······왕녀가?"

　"응. 대놓고 말하면 좋아하는 거 아니야?"

　"······그럼 폐하가 자꾸 미루는 건 왜야?"

　여러 번 성을 떠나려 했지만, 그때마다 왠지 왕이 와서 「조금만 더 머물러주게」라고 했고, 그것을 두 번 반복한 결과— 확실하게 성을 떠나겠다고 전하기까지 열흘이 걸렸다.

　"생각해 봐, 왕녀는 나라의 중요한 사람이잖아? 그럼 나 같은 모험가는 해충이라고 생각하고 멀리해야 하지 않을까?"

　"그건 폐하가 말한 예언의 힘 때문이라고 생각해."

　"······직감 수준이라고 했잖아."

　"그게 수상쩍어."

유노가 팔짱을 꼈다. 수상하다라…….

"하지만 명확한 예지능력을 가졌다면 나라의 위기도 감지했겠지."

"뭐, 그렇지……."

"과거에 마족의 습격을 우려한 사람이 제언한 적이 있어. 왕은 고려했지만, 많은 중신이 쓸데없는 대책이라고 반대해서 결국 왕은 조언을 받아들이지 않았어. 예지능력이 있었다면 대신들을 설득했을 거고, 대응했을 거야."

게임에 이름도 나오지 않는, 조연도 못 되는 인물— 노령으로 퇴역한 기사대장인데, 에이나의 스토리에 그 제언을 따를 걸 그랬다며 후회하는 이벤트가 있었다. 참고로 그 기사는 현재 병사하고 없다.

"그렇구나……. 하지만 루온과 관련되려고 하는 데는 역시 그런 이유도 있을 거라고 봐."

유노가 내 눈을 보고 이야기를 꺼냈다.

"루온은 왕녀를 어떻게 생각해?"

"……그건—"

대답하려던 때, 노크 소리가 들렸다. 누구지?

"네."

문으로 걸어가 여니, 그곳에는—

"밤중에 죄송합니다."

소필리아 왕녀였다. 훈련할 때와 다르게 아름다운 드레스를 입었다.

"내일 성을 떠나시니 잠깐 대화를 나누고 싶어서요."

그 말을 듣고 나는 일단 그녀를 방 안으로 들어오게 했다. 갑자기 유노가 다가왔다.

"왕녀님, 안녕."

"네. ……아무리 그래도 문 앞에서 인사할 수는 없으니 양해해 주세요."

"상관없어. 그런데 한 가지 묻고 싶은 게 있는데."

─아니, 야. 설마 직접 물을 셈이야?!

"무엇인지요?"

"우리에게 이렇게까지 해주는 데 뭔가 이유가 있나 싶어서."

"목숨을 구해주신 것에 대한 보답, 으로는 납득이 안 되십니까?"

"음, 뭐랄까, 왕녀님이 여기 오는 걸 꽤 기대하는 느낌?"

……왕녀, 역시나 침묵해버렸다.

솔직하게 이야기하지도 못할 테니…… 내심 조마조마하며 대답을 기다리자 왕녀가 입을 열었다.

"루온 님과 만나 많은 대화를 나누고 싶어졌다는 대답으로 만족해 주시겠습니까?"

유노가 조금 떨떠름한 표정을 지었다. 그녀는 「더 솔직하게」 말해달라고 하고 싶은 것 같았으나…… 설령 호감이 있더라도 얼굴을 마주하고 말하지는 않을 터였다.

"그, 저라도 괜찮다면 언제든지 대화 상대가 되어드릴게요."

내 말에 왕녀가 만면의 미소를 지었다.

"감사합니다."

어린아이가 지을 것 같은 순수한 미소. 그녀와 만나며 익숙해졌음에도 맥박이 빨라졌다.

침묵이 흐른 뒤, 갑자기 밤하늘이 아름답다는 생각이 나서 테라스로 이동했다. 창문을 여니 부드러운 바람이 내 몸을 어루만졌다.

소필리아 왕녀도 테라스로 나왔다. 옆에 나란히 섰을 때, 그녀가 문득 입을 열었다.

"새삼, 감사드립니다. ……목숨을 구해주셔서 감사합니다."

그녀에게로 시선을 향했다. 달빛에 반짝이는 드레스를 입은 그녀가 눈에 들어왔다.

솔직히 예쁘다든가, 아름답다든가…… 그런 말로는 이루다 표현할 수 없었다. 달빛에 비친 표정이 생각보다 잘 보였다. 어딘지 기쁘게 미소 짓는 그녀는 신화에 나오는 여신과 비교해도 손색없을 만큼 환상적이었다.

부드럽게 흐르는 바람이, 달빛이 내리쬐는 밤이, 미소 짓는 그 표정이…… 모든 것이 맞물려 할 말을 잃었다.

그리고…… 점점 얼굴이 뜨거워졌다. 밤이 아니었으면 붉어진 얼굴이 그대로 보였으리라.

전생하고 아무에게도 보이지 않으며 필사적으로 강해졌

다. 아직 갈 길이 멀지만, 왕녀의 감사로 성과를 인정받았다. ……그 사실이 참을 수 없이 기뻤다.

그녀를 도와준 것이 줄거리에 어떤 영향을 줄지…… 생각해봤지만—.

"……아름다운 마을이야."

그때, 유노가 테라스 난간에 내려서서 말했다.

나는 눈 아래에 펼쳐진 도시를 바라봤다. 마을에 빛이 보였지만, 전생에 있었던 도시의 야경과 비교하면 아주 적었다. 하지만 그래도 눈길을 끄는 경치임은 틀림없었다. 달빛에 비친 도시는 그윽하다는 말밖에 할 말이 없었다.

"네. 저는 이 마을을, 나라를 지켜야 합니다. 그러기 위해 지금보다 강해져야 해요."

왕녀의 강한 의지. 내가 고개를 끄덕이자 정숙이 찾아왔다.

뭔가 멋진 말을 하고 싶은데 갑자기 아무것도 떠오르지 않았다. 유노마저 입을 다물고 왕녀의 말을 기다렸다.

"만약의, 일입니다만."

소필리아 왕녀는 조금 주저하는 투로 이야기하기 시작했다.

"또, 이 수도를 들를 기회가 있다면…… 꼭 이곳에도 들러주세요."

"들어올 수 있어?"

유노가 물었다. 왕녀는 잠시 생각했다.

"이번에는 사적으로 초대한 것이니 정면으로 이름을 대고 들어오기는 어렵겠죠. ⋯⋯유노 님, 당신이 연락책이 되어주신다면⋯⋯."

"맡겨줘!"

유노가 흔쾌히 승낙했다. 성에 들어가는 것이라면 고생도 마다치 않으려나 보다.

그 모습을 보고 왕녀는 웃었다. 나도 미소를 지었다. 그때, 그녀와 눈이 마주쳤다.

"⋯⋯저도, 지금보다 강해지겠습니다."

갑자기 입에서 말이 흘러나왔다.

"루온 님?"

"집을 부흥시키는 것이 여행 동기 중 하나입니다만⋯⋯ 그 이상으로, 마물로 고통받는 사람들을 구하고 싶다는 마음도 있습니다."

내 말에 소필리아 왕녀가 다시 미소 지었다.

"서로⋯⋯ 힘내죠."

왕녀가 손을 내밀었다. 나는 고개를 끄덕이고 그녀와 악수를 했다.

나는 마음속으로 결심했다.

왕녀와 만나, 그녀가 어떤 생각을 하고 무엇을 위해 행동하는지⋯⋯ 그 뜻을 이해했다. 하지만 머지않아 그녀는 마족과의 전투 중에 죽고 만다. 사람을 위해 행동한다는 뜻을 가진 그녀는 죽어서는 안 된다. ─아니, 아니다.

나는 그녀가 죽게 내버려 두고 싶지 않았다.

그러니까 그녀를 구한다. ─그렇게 마음속으로 굳게 생각했다.

다음 날, 우리는 성을 떠났다. 마을 중심을 향해 걷는 동안, 유노가 불만을 입에 담았다.

"아아~ 또 동굴에 틀어박혀 수행이구나."

나는 쓴웃음을 짓다가…… 이내 말을 꺼냈다.

"유노가 나서는 바람에 왕녀와 연관돼버렸어."

"뭐야~, 좋으면서."

"……근데 그러다가 하나 결심한 게 있어."

"뭔데?"

"왕과 왕녀를…… 반드시 구할 거야. ─아니, 그뿐만이 아니야."

나는 말을 이으며 게임의 비극을 떠올렸다.

"게임에는 왕녀 외에도 죽으면 안 되는 인물들이 많아. ……그 사람들도 구해야 해."

결심을 밝히자 유노는 순간 놀랐다가 곧 웃었다.

"그렇게 나와야지!"

"대신 그러려면 필요한 게 있어. 내 행동에 따라 시나리오가 얼마나 바뀔지 걱정되니까 문제가 생기면 수정할 힘이 필요해."

"지금보다 노력한다고?"

"맞아. 만약 마왕이 습격한 이후로 상황이 게임처럼 흘러가면 우리는 그걸 방해해야 해. ……내 의지로 줄거리를 바꾸는 거니 책임은 져야지."

"거기까지 알았으니 열심히 하자."

그리고 유노가 새로운 질문을 던졌다.

"루온, 동료는 어떡할래?"

"동료? 그러게……. 내 수행 방식은 유노의 지도와 내가 전생한 거랑 관련이 있잖아?"

"응, 그렇지."

"나는 그 두 개가 합쳐져서 강해지고 있지만…… 다른 사람도 똑같은 방법으로 강해지기는 어려울 거고, 무엇보다 그러면 시간이 너무 많이 걸려. 나만 해도 시기를 맞출 수 있을지 몰라서 여유가 없어. 지금부터 할 일도 많고……."

"할 일? 계속 수행할 거 아니었어?"

유노의 물음에 나는 깊이 고개를 끄덕였다.

"수행도 할 건데, 무기나 조합 개량 방법을 배우려고."

"무기? 조합?"

"게임에서는 정해진 곳에 가면 무기나 약을 개량할 수 있게 돼. 하지만 루온에게는 그런 지식이 없으니까 습득해야지."

"왜 지금 그걸 해야겠다고 생각했어?"

"일단 어느 정도 마력이 높지 않으면 좋은 물건을 만들지 못해. 하지만 지금의 나는 할 수 있어."

"마력…… 그럼 검을 두드려 만들고 그런 건 아니지?"

"아니야. 그건 가면서 설명할게."

"알았어. ……근데 그렇게 금방 배울 수 있어? 기술을 익히는 데 1년 가까이 걸리면 의미가 없잖아."

"괜찮을 거야."

게임에서는 다양한 소재를 조합해 마법을 부여하는 방식이었다. 어떤 소재를 조합하면 되는지 머리에 들어있으니 검증을 겸해 이것저것 해보고 싶었다.

"이동 마법을 습득했으니까 시설을 돌며 습득하는 데 얼마 걸리지 않을 거야."

"그건 좋은데, 수행은 내팽개치고 무기를 제작하려고?"

"우리가 매일 동굴에 처박혀 있긴 하지만, 아침부터 밤까지 계속 있지는 않잖아. 동굴에서 돌아와 쉬는 동안 할 생각이야."

"열심히 하네……."

유노가 감탄했다. 나는 어깨를 으쓱했다.

"지금까지도 필사적으로 해왔지만, 지금부터는 그 이상으로 노력할 거야."

"알았어. 그럼 나도 제대로 서포트할게."

"부탁해."

그런 대화를 나누고— 이동을 개시했다.

─개량 기술은 한 달도 걸리지 않아 어찌어찌 습득했다. 특정 소재를 마법으로 분해하고 그 마력을 무기나 도구에 가하는 방식이었다. 예를 들어 팔찌를 강화할 경우, 소재가 되는 물건을 마력으로 분해해 입자로 만들어 팔찌에 스며들게 하는 형식이었다.

　하지만 개량 방법에도 기술이 있어서 강력한 무기와 방어구를 만들려면 막대한 검증이 필요했다. 오히려 그 연구에 제일 시간이 오래 걸렸다. 연구자도 분명 늘 조사할 테지만─.

　"뭐랄까, 전생의 지식은 장난 아니네."

　유노가 내가 제작한 액세서리를 보고 감상을 말했다.

　동굴에서 수행한 밤, 돈을 내고 빌린 마을 외딴집에서 나는 무기 제작에 힘썼다. 그래 봤자 게임을 하며 외운 레시피대로 가공할 뿐이었지만.

　고생할 줄 알았으나 기초적인 기술로도 충분한 결과가 나왔다. 마물을 쓰러뜨리고 얻은 온갖 소재를 활용해 열흘 만에 작업대가 가득 찰 정도의 도구를 만들었다.

　"레시피를 안다는 게 그만큼 대단한 거구나."

　나는 팔찌에 마력을 부여하며 말했다.

　"부여 소재는 그야말로 몇 천, 몇 만 개나 있어. 한 종류만 섞으면 효과가 거의 없으니까 다양한 소재 중 효과가 있는 걸 찾아야 해."

"근데 루온은 그걸 패스할 수 있는 거고?"

"응. 게임에 나오는 소재 수는 당연히 현실이 된 지금보다 적어. 그래서 내가 모르는 소재 조합으로 강력한 물건을 만들 가능성도 없지는 않은데, 그렇게까지 검증하면 수행을 못 하니까. 기억하는 소재로만 제작할래."

"흐응…… 다른 이유도 있어?"

"동굴에 들어가 다양한 마물에게서 소재를 얻을 수 있는 환경이 갖춰진 거지."

내 말에 유노가 「그렇구나」하고 고개를 끄덕였다.

"장기를 잔뜩 보유한 마물이 아직 적어서 다른 사람은 소재도 모으지 못한다는 거구나."

"그래. 내가 아까 쓴 소재도 지금의 대륙에서는 볼 수 없는 마물에게서 주운 거야. 소재가 부족해서 효과가 높은 소재는 그다지 검증되지 않은 것 같아."

"그렇구나. 이 기세로 무기도 만들 거야?"

"지금은 방어구 중심으로 만들 예정이야. 무기는…… 왜, 너무 강력한 걸 쓰면 마력을 단련하지 못하잖아."

"아, 그렇지."

"그리고 너무 강한 무기는 눈에 띄는 요인이 되기도 하니까……. 대륙을 돌아다닐 경우, 되도록 눈에 띄지 않는 편이 좋다고 생각하니까 무기는 여러모로 검증하는 정도로 남겨 둘 작정이야."

"그게 무난하겠네."

"하지만 강력한 무기를 만들 수 있는지 시험해보는 건 좋겠어."

나는 테이블 위를 정리하고 장검 한 자루를 뒀다. 평범한 철검. 날이 무딘 것을 남겨뒀다.

거기에 손에 잡힌 소재를 마구 조합했다. 유노가 불안하게 바라보던 중, 더 강화하려고 소재를 주입하다가— 갑자기 쨍강, 하는 소리를 내며 날이 부러졌다.

"아, 역시 부러졌어."

"역시?"

유노가 되물었다.

"그보다 이렇게 소재를 투입하면 망가지는 게 당연한 거 아니야?"

"뭐, 그렇긴 한데…… 아무튼 철검이 가진 마력 허용량을 뛰어넘은 모양이야."

나는 부러진 철검을 정리했다.

"으음, 역시 소재에 따라 주입할 수 있는 마력에 한계가 있나 봐."

"게임은 한계가 없었어?"

"없었어. 갖고 있는 소재를 활용해서 전설의 검과 어깨를 나란히 하는 공격력을 가진 롱 소드를 개발할 정도였어."

"전설의 철검인가."

그거, 완전 약해 보이네.

"뭐, 예상한 일이니 아쉽지는 않아. 대신 소재를 마구 넣지 못하니 방어구를 만들 때, 어떤 효과를 부여할지 생각해 놔야겠어."

"흐으응…… 그런데 루온."

"응?"

"왠지 즐거워 보여."

유노의 말에 퍼뜩 깨달았다.

"……이렇게 무기 강화하는 거, 좋아했거든."

"그런 게 적성인가?"

"그럴 수도 있겠네."

즐기며 활동하면 왠지 불성실한 기분이 들기도 하지만……. 그런 생각을 하며 개발을 진행했다.

─무기 생성이라는 새로운 방법을 획득하자 동굴 내 활동 범위도 넓어졌다. 마력 장벽에 의지하지 않아도 장비한 방어구로 어느 정도 공격을 버티게 되니 꽤 여유가 생겼다. 하지만 과신하면 안 된다는 걸 아주 잘 아는지라 기본적으로는 신중하게 행동했다.

"동굴 안까지 꽤 들어왔네."

유노가 주머니에서 말했다. 주위에 내가 만든 빛 외의 광원은 없었다. 혼자였으면 발을 들이지 못했을 것 같았다.

"응. 낯익은 곳을 여러 번 봤으니까 이제 상급 클래스 마물이 나와도 이상하지 않아."

"……계절도 한 바퀴 돌았고, 수행한 지 1년 정도 됐나? 1년 수행한 성과로 마침내 여기까지 왔구나."

1년— 무작정 검을 휘두르고 마법을 쓰며…… 중간에 소필리아 왕녀와 만났고 지금은 이렇게 동굴에 틀어박혔다.

"유노, 나 착실하게 강해지고 있지?"

"내가 보증할게."

"고마워. 그럼 할 수 있는 데까지 하는 것만 남았군."

"힘내라! ……아, 그런데 루온. 질문이 있는데."

"뭔데?"

"수행을 마치고 제일 먼저 할 일이 시나리오대로 진행되는지 확인하는 거지?"

"그렇지……. 마족이 본격적으로 습격하기 전에 이야기가 시작되는 주인공도 있어. 그게 루온과 만나게 되는 필리라는 인물이야."

"일단은 그 남자랑 접촉한다고?"

"응. 접촉해서 그의 능력을 검증하고 싶어."

"참고로 필리라는 사람의 이야기는 어떻게 시작해?"

유노의 물음에 나는 게임 정경을 떠올리며 말했다. —그러고 보니 마지막으로 플레이한 것도 필리 시나리오였다.

"그는 신참 모험가로 마족이 본격적으로 습격하기 전에

활동하기 시작해. 작은 마을에 들러서 의뢰를 받아 동료와 함께 던전에 들어가."

"루온은 무슨 경위로 거기에 있어?"

"마을 주변에 유적과 동굴이 있다는 정보를 듣고 보물을 찾으러 가지 않았을까?"

"그리고 게임에서는 죽어버리고?"

"죽는다고 하지 마……."

문득 생각했다. 지금 내 능력이라면 게임에서 루온을 죽이는 악마도 이길 것이었다.

"계속할게. 필리가 여러 개의 던전을 돈 뒤, 악마가 마을을 습격해. 말이 습격이지 다른 목적지로 가던 악마들이 도중에 마을을 발견하고 화염 비를 뿌린 거지만."

"그 전투 중에 루온이 죽어?"

"……악마 중에 마을로 내려온 놈도 있는데 그 녀석에게 당해."

사망 이벤트를 회피하지 않는 한, 계속 불안하겠는데……. 악마가 고위 마족보다 강할 리는 없으니까 기우라고 생각하지만.

"아까 말한 검증 말이야, 필리의 동료가 돼서 어떻게 될지 관찰하고 싶다는 거지?"

"응? 맞아, 그렇지. 무엇보다 동료로 선택해줄지 알 수 없지만…… 네 번의 기회가 있으니까 그 안에 동료가 되면 돼."

"내 힘이 필요해?"

유노의 말에 나는 잠깐 생각했다.

그녀는 분명 게임에는 없었던 요소였다. 그것이 길이 될지 흉이 될지는 모르나—.

"그건 마을에 가서 반응을 확인하고 생각할까?"

"좋아."

유노가 방긋 웃으며 대답했고— 나는 수행을 재개했다.

—그 뒤로 계속 동굴에 틀어박혀 무기를 개량하는 일만 반복했다. 차츰 동굴 안으로 들어가며 착실하게 힘을 쌓았다. 유노는 여전히 스파르타였고 나는 전생의 지식을 이용해 기술과 마법을 연구했다.

첫 1년은 그야말로 다양한 발견을 했지만, 다음 1년은 손에 넣은 정보 이상은 나오지 않았다.

그래서인지 무서운 속도로 시간이 흘렀고— 마침내 일단락 짓는 날을 맞았다.

"어디 보자."

나는 집 안을 둘러보고 장비를 확인했다.

기본적으로는 전생했을 때 입은 장비를 입었다. 다른 부분은 퇴마용 내의라든가, 양팔에 팔찌 같은 액세서리— 애뮬릿을 보이지 않게 낀 정도였다.

허리에는 장검. 슥 잡아 검집에서 조금 뽑자 은백색 날이 보였다.

　—전부 내가 만든 것들이었다. 외투와 상의는 마력 장벽과 조합하면 마왕 클래스의 공격에도 버틴다. 이렇게까지 방어력을 높일 수 있었던 것은 내 마력이 어찌어찌 검증됐기 때문이다. 만약 동료가 생겨도 똑같이 만들어주기는 어려우리라.

　오른쪽 애뮬릿은 공격력 강화, 왼쪽은 방어력 강화. 공격 부분은 만약을 대비하는 것이지만, 왼쪽은 중요했다. 마력 장벽을 강화하는 데다 상태 이상 등의 특수공격도 막았다. 없어도 충분히 버틸 능력이 있지만, 장비까지 갖추니 어떤 공격도 무섭지 않았다.

　그리고 마지막으로 검……. 이건 아주 일반적인 장검이다. 내 마력에 맞춰 아주 조금 개량했지만, 특별한 마법은 조합하지 않았고 예리함도 평균 수준이었다. 강력한 검을 들고 다니는 것도 위험한 것 같아, 만약 강적을 만나면 마법으로 무기를 만들 생각이었다. 게임에 그런 검이 여러 개 있었고 위력도 검증이 끝나서 공격 면에서는 문제없었다.

　"오, 기합 들어갔는데~?"

　유노의 말에 나는 고개를 끄덕이고 전신거울 앞에서 심호흡한 뒤— 입을 열었다.

　"그럼 가장 깊은 곳으로 갈까."

　"응."

일단락 짓는 날— 동굴의 가장 깊은 곳으로 간다. 그곳에 있는 적을 쓰러뜨리면 바라던 힘을 얻었다고 봐도 무방했다.

"루온, 이제 곧 수행을 시작한 지 2년이 되는데……."

"응. 이제 마왕이 습격해도 이상하지 않은 시기야. 아슬아슬했네."

"내가 지도한 효과로 2년이라…… 게임 주인공이 신경 쓰여."

유노의 말을 들으며 집을 나섰다. 매일 다니던 길을 지나 동굴 입구에 도착했다.

집에라도 들어가는 것처럼 안으로 들어갔다. 빛을 만들자 유노가 내 주머니에 들어갔고, 마물이 없는지 확인하며 앞으로 갔다.

"그러고 보니 유노, 마지막 적과 격전을 치를 것 같아. 주머니에서 나와 나랑 떨어져 있는 게 좋지 않을까?"

"루온의 주머니보다 안전한 데는 없어. 마지막이라고 집중이 흐트러질 가능성도 있고."

"야, 마지막까지 훈련하려고?"

"당연하지."

난 더는 아무 말 하지 않고 어깨를 으쓱했다. ……어설프게 불평하면 유노의 기분이 상한다는 것을 요 2년 사이에 이해했기 때문이었다.

도중에 마물과 마주쳤지만 전부 무시하고 동굴을 둘러봤다. 상당히 넓어서 수행 중에 탐색하다가 질리지는 않았다.

다만 게임처럼 보물 상자가 있지는 않아서 그게 좀 아쉽기는 했다.

전력으로 이동하니 가장 안쪽까지 별로 시간이 걸리지 않았다. 결과적으로 편도 몇 시간…… 드디어 드넓은 동굴의 가장 안쪽에 도착했다.

"드디어—."

"응. 유노, 뛰어들지 마."

나는 검을 뽑고 말했다. 바로 앞에는 끝없이 펼쳐진 칠흑이 존재했다. 빛을 조작해서 전방 시야를 확보했다.

눈앞에 낭떠러지에 생긴 균열이라고 할까…… 성인 세 명이 나란히 걸을 정도의 틈이 있었다. 이곳이 종착점이라는 것을 아는 나는 검을 세게 쥐었다.

"……간다."

그렇게 입을 열며 나아갔다. 전방에서 압도적인 장기가 느껴졌다. 보스가 있다고 확신했다.

그때, 으르렁거리는 소리가 들렸다. 동물과는 달랐다. 더 굵고 박력 있었다.

빛의 세기를 높이자 균열 너머에 있는 넓은 방이 훤히 밝혀졌다.

바위에 둘러싸인 공간인데 천장이 지금까지와 비교해 상당히 높았다. 게다가 전생을 예로 들어 말하면 야구장이 쏙 들어갈 정도로 넓었다.

그 제일 안쪽에— 목표한 마물이 있었다.

"루온, 저게—."

"응, 이 동굴의 가장 안쪽에 있는 보스—『혼돈의 마인』이야."

이름 그대로 그 녀석은 인간의 모습이었다. ······그러나 크기는 내 키의 열 배 정도였다.

그리고 온몸이 까맸다. 근육질 체형으로 보아하니 아마 피부 자체가 검은 것이리라. 상반신은 근육질 몸을 노출했고 하반신은 갑옷처럼 단단한 것으로 덮었다. 오른손에는 피부처럼 칠흑색인 장검— 마물이 만든 무기가 분명한 것이 들려 있었다.

"죽은 기사들의 원한 때문에 저렇게 됐는지도······."

"그렇게 느긋하게 있어도 돼?"

유노의 물음 직후, 마인이 갑자기 포효했다. 방을 뒤흔든 그것은 목소리라고 형용하기에는 너무 지나쳤다. 유노가 얼굴을 찌푸리며 주머니 속에서 귀를 막을 정도였다.

"······나를 적으로 인식한 모양이군."

그렇게 중얼거린 순간, 마인이 움직였다. 손에 쥔 검을 들고 나를 향해 위에서 아래로 내리쳤다.

"움직임도, 빠른데—!"

재빠르게 옆으로 피했다. 몸 안에 있는 마력을 높여 주문 영창을 개시한 순간— 서 있던 곳에 마인의 검이 내리꽂혔다.

공기를 흔드는 파쇄음과 엄청난 진동. 상급 악마조차 원형을 유지하기 어려울 공격이었으나 나와 유노는 지극히 냉정했다.

"루온, 지금 공격은 제대로 맞으면 죽어?"

"마력 장벽을 구사하면 괜찮지 않을까? 땅에 파묻혀서 움직이지 못할 수도 있고."

장검이 내리친 곳에 사람이 편하게 들어갈 정도의 구덩이가 생겼다.

"뭐, 강한 건 분명하지만—."

나는 말을 하면서 동시에 마력을 해방했다. 희고 푸른 번개가 몸을 휘감았다. 온몸이 희미한 푸른빛에 휩싸였다.

"상급 마법이야. 아무리 마인이어도 아플걸?"

단번에 왼팔에 모인 번개를 호쾌하게 내리치자 번개가 땅을 타고 달렸다. 마인은 피하려 했으나 마법이 무시무시한 속도로 적의 발에 도달했다.

그 순간, 번개가 터져 마인의 전신을 덮치며 벼락이 작렬했다. —번개 속성 상급 마법 『블루 스크림』으로, 위력도 상급 마법의 이름에 부끄럽지 않았다.

마인의 비명이 들렸다. 대미지는 확실히 준 듯한데……. 이내 푸른빛이 사라지고 마법 효과가 끝나자 마인이 조용히 태세를 가다듬었다. 역시 한 방으로는 안 되나 보다.

나는 다음 공격에 대비해 마력을 몸 깊은 곳에서 끌어올렸다.

"마법 위주로 싸우게?"

유노의 물음에 나는 고개를 끄덕였다.

"저 거구를 봐. 검을 맞히는 것도 고생이야……. 게임할 때에는 크기와 상관없이 공격할 수 있었지만, 현실은 그렇지 않은가 봐."

이 또한 게임과 현실의 차이— 그때 마인이 움직였다. 이번에는 세로가 아닌 가로 베기. 나는 공격 궤도를 읽고 마법을 쏠 준비를 했다.

마인에게 나는 작은 동물 같은 것이었다. 거대한 몸 때문에 오히려 조준하기 어려울 테지만— 마인이 다리후리기라도 하듯이 땅에서 아슬아슬하게 공격하면 반드시 맞는다.

도약하면 피할 수 있지만, 몸을 제어하지 못해 위험했다. 그래서 대응할 수 있게 마법을 발동했다.

"나의 마력에 따라 방패를 이루어라— 빙괴여!"

『아이스 월』이라는 얼음 속성 중급 마법이 생겨났다. 게임에서는 사용자 앞에 빙벽을 만들고 얼음기둥을 쏘는 공방 일체 마법이었다. 하지만 이번에는 공격하지 않고 검을 막는 데만 사용했다.

마인의 공격이 들어오는 왼쪽에 빙벽을 형성했다. 순식간에 만들어진 벽은 인간의 신장을 훨씬 뛰어넘고 두꺼웠으나 마인의 검을 막기에는 조금 불안하다 싶었을 때, 검이 격돌했다. 얼음이 부서지고 파편이 비처럼 쏟아졌다. 하지만 검을 막았다. 나는 얼른 새로운 마법을 외우기 시작했다.

"오오, 역시."

유노가 감탄했다. ─동시에 마인이 빙벽에서 검을 거두고 이번에는 위로 들어 올렸다.

하지만 공격이 오기 전에 다음 마법을 완성했다.

"자, 버틸 수 있을까─!"

내 정면에 냉기가 발생했다. 순간, 해일처럼 생겨난 얼음이 마인을 덮칠 듯이 밀어닥쳤다. ─얼음 속성 상급 마법 『퀸 오브 블리자드』. 얼음이 직격한 순간, 냉기와 엄청난 수의 얼음 칼이 만발하는 마법이었다.

마인은 피하지 못한다고 판단했는지 검으로 덮쳐오는 얼음을 가르려고 했다. 하지만 역효과였다. 검이 마법에 닿자마자 얼음이 폭발하며 흩어지는 건조한 소리가 방을 에워쌌다. 거대한 검의 꽃이 피어나 마인의 몸에 파고들자 묵직한 비명이 들렸다.

효과가 있었다. 게임에서는 마인을 쓰러뜨리려면 강력한 마법을 많이 써야 했으나 현실이 된 지금은 그럴 필요가 없어 보였다.

"이제 곧 결판이 나겠어."

셀 수 없을 정도로 수많은 마물들을 쓰러뜨린 결과, 한계를 어느 정도 추측하게 됐다. 내 마법의 위력도 있고, 눈앞의 마인은 분명히 한계에 가까워졌다.

아마 다음 공격으로 결판이 날 것이다. —그렇게 확신하며 새로운 주문을 외우기 시작했다. 가장 자신 있는 빛 속성 마법이었다.

그러자 마인이 얼음을 뿌리치며 울부짖었다. 짐승의 포효 같은 그것은 내 마력에 호응해 맞서 싸우겠다는 기개를 뚜렷하게 보여줬다.

나는 그에 대항하고자 마력을 해방했다. 주위에 방 전체를 밝히는 빛이 나타났다. —하나하나가 장검처럼 생긴 빛이 날 끝을 겨누며 마인을 위협했다.

상대가 경계하며 으르렁거린 직후, 검이 내 앞으로 모여 하나가 되기 시작했다. 하나가 될수록 빛도 강해졌다. 이윽고 검은 길고 거대한 창으로 변했다.

빛 속성 상급 마법에 해당하는 『궁그닐』— 내가 가진 상급 마법 중 가장 손에 익고, 그래서 가장 위력을 발휘할 수 있는 마법이었다.

"……마인도 아는 것 같네."

유노가 말했다. 마력을 느끼고 이것이 마지막 승부라고 그녀도, 그리고 마인도 이해했다.

빛의 창이 내 눈앞에 머물렀다. 주변을 밝히는 그 빛은 신성하기까지 했다. 한편 마인은 노려보듯이 마법을 관찰한 후…… 돌격을 감행했다.

나는 대항하기 위해 신의 창을 던졌다. 마인은 피하지 않고 검으로 방어하는 것을 선택했고— 빛이 정면으로 부딪쳤다.

보통은 여기서 누가 이길지 힘겨루기를 하겠지만, 이번에는 그런 게 없었다.

빛은 먼저 마인이 가진 검을 파괴하고 흉부에 도달했다.

그 뒤에는 순식간이었다. 신의 창이 마인의 몸을 간단하게 관통한 순간, 분명치 않은 폭발음이 울리고 시야가 허옇게 물들었다. 마력의 격류와 빛의 확산이 잠깐 이어지고— 이윽고 단말마가 들렸다.

이겼다고 확신하자 조금씩 시야가 정상으로 돌아왔다. 마인은 소멸했다.

"……싱거웠네."

유노가 말했다. 나는 고개를 끄덕이고 내가 얼마나 강해졌는지 새삼 인식했다.

동시에 흥분했다. 터무니없이 강해졌…… 대륙에 있는 인간 중에 이만한 실력자는 없을 거라고 확신했다.

"유노…… 마지막에 어땠어?"

내 물음에 그녀가 주머니에서 나와 만면의 미소를 지었다.

"합격. 그런데 최상급 마법을 안 썼네?"

"응. 그래도 마인을 압도했어. ……이정도면 마왕하고도 충분히 싸울 수 있겠어. 마왕에게 결계가 없으면 나 혼자서 대륙을 구할지도 몰라."

"그만한 힘을 가졌다는 건가……. 마왕을 쓰러뜨리지 못

한다는 게 안타까워."

"그렇지, 뭐. 자…… 이제부터 게임 시나리오대로 일이 풀렸는지 확인해야지."

"그럼 드디어 이 동굴에서 해방되는 거네!"

유노가 강조했다. 그렇긴 한데……. 어지간히도 질렸나 보다. 뭐, 당연한가?

"이제부터 바빠질 테니까 관광이니 뭐니 말 못할걸?"

"다 끝나고 느긋하게 관광하면 되지!"

"그것도 그런가……. 자, 돌아가자."

나는 유노의 말에 답하며 걷기 시작했다. 할 일이 잔뜩 있었다. ……그렇게 생각하며 왔던 길을 되돌아갔다.

동굴을 나와서 마법으로 비둘기처럼 생긴 새를 만들었다. 사역마다. 그 눈을 통해 대륙 상황을 파악했다.

사역마를 꽤 많이 만들어 날린 뒤, 유노가 입을 열었다.

"먼저 마왕이 침공하는 타이밍을 파악해야지."

"그건 게임 주인공의 동향으로 어느 정도 추측할 수 있어."

"주인공…… 찾기 쉬울까?"

"소필리아 왕녀의 사촌 동생인 에이나는 문제없어. 다른 네 사람은 생각해볼게."

"다른 주인공도 필리라는 사람처럼 모험가야?"

"한 사람은 보물 사냥꾼이고, 한 사람은 무사 수행 중인 마법사. 마지막 한 사람은 특이해."

"특이?"

"처음에는 마왕군 편이야. 인간과 마족 사이에서 태어났
거든."

"오, 흥미로운데?"

유노가 관심을 보이며 말했다.

"아무튼 루온은 어떡할래?"

"필리가 들르는 곳…… 핀트라는 마을로 가자. 여기서 꽤
먼데, 고속이동 마법을 쓰면 며칠 안에 도착할 거야."

"며칠…… 밤낮 상관없이?"

"동굴에서 마력으로 체력을 유지하는 것도 배웠으니까. 이
것도 요령이 필요해서 이런 식으로 쓰는 사람은 뛰어난 검
사 중에도 몇 없어."

"그런 것도 싸우면서 습득했다고?"

"아무리 강해도 체력이 없으면 금방 움직이지 못하잖아.
지금은 마력도 상당하고, 무리할 수 있게 됐어."

다시 떠날 채비를 했다. 지금까지 마을 빈집을 빌려 생활
했지만, 오늘로 그것도 끝이었다.

"있지, 루온."

"왜 그래?"

"핀트라는 곳에 가서 필리 이벤트를 관찰하는 거지?"

"응."

"그리고 루온은 거기서 죽고?"

"게임은 그렇지. 악마의 습격으로."

"그 습격을 막을 수는 없어?"

"……지당한 의견이지만, 그러면 필리가 움직이지 않을 수도 있어."

"응? 무슨 말이야?"

나는 고개를 갸웃거리는 유노에게 어깨를 으쓱하며 말했다.

"필리는 시시한 이유로 여행을 떠나. 하지만 처음으로 들른 마을이 악마에게 불타버리는 것을 계기로 마족, 마왕과 싸우기로 결심하지."

"아— 마을이 습격당하는 것 자체가 필리가 싸우는 동기구나."

"맞아. 만약 필리가 그 전에 마왕을 토벌할 존재로 여기면 복잡해져."

"으음, 어려워……. 아, 보관 중인 아이템은 어떡해?"

"사람이나 마물이 들어가지 못하게 대비해놨으니까 괜찮아."

"궁금해서 그런데, 소재를 다 팔면 얼마나 나올까?"

"어림잡아…… 성을 지을 수도 있겠는데."

내 대답에 유노가 「갑부」라고 했지만, 그만한 소재를 가진 게 발각되면 수상하게 여길 테니, 여비 정도밖에 못 쓸 거다. 뭐, 노잣돈 때문에 곤란할 일이 없다는 건 희소식인가.

그 뒤, 나는 채비를 마치고 유노에게 말했다.

"다시…… 시작하자."

"응! 힘내, 루온."

그녀의 말과 함께 출발했다. —지금까지는 준비, 이제부터가 실전. 하지만 지금의 나라면 괜찮을 거라 생각하며 필리가 들르는 마을로 향했다.

제4장 주인공의 존재

발크스 왕국에서 핀트 마을까지는 상당한 거리가 있었다. 하지만 밤낮 가리지 않고 마법을 써서 하루하고 조금 지나 목적지에 도착했다.

"고속이동 마법, 생각보다 안 피곤한데?"

"아니, 루온이 엄청 센 거 아냐?"

유노의 태클을 무시하고 마을 입구에서 상황을 살폈다.

입구 주변에 게임에서 본 광경이 펼쳐져 있었다. 집 배치도 똑같지만, 게임에서 볼 수 있었던 범위를 넘어선 곳에도 건물이 세워져 있어서 규모가 제법 있었다. 그리고 이 주변에는 적당한 레벨의 마물이 출현하는 유적과 동굴이 많은 탓인지 모험가도 많았다.

"루온, 필리는 있어?"

"……사역마가 사전에 마을을 관찰했는데 아직 안 왔나 봐."

나는 마을로 들어섰다. 입구에서 길이 좌우로 나뉘었는데 망설이지 않고 왼쪽으로 갔다.

"어디 가?"

"술집. 시나리오 개시가 가까운지 판단하는 장소로 쓸 거야."

곧 술집을 찾아 들어갔다. 실내에 햇빛이 꽤 들어오는 구조로, 분위기는 나쁘지 않았다.

이름은 술집이지만, 식사도 되고 모험가에게 일도 알선했다. 도시에는 모험가 길드가 있지만, 이 마을에는 없어서 사람이 모이는 술집에 그런 기능을 뒀다.

"흠……."

가게 안을 둘러보며 끝에 있는 자리에 앉았다. 게임에서 테이블이 몇 개 있었는지까지 기억하는 건 아니지만, 루온은 입구에서 봤을 때 오른쪽 창가 자리에 앉아 있었다. 그러니까 지금 앉은 자리 주변에서 기다리면 됐다.

새삼 가게에 있는 사람들을 바라봤다. ……담소를 나누는 대부분이 모험가였다. 남녀비율을 따져봤을 때 남자가 많은 건 분명하지만, 실력에 자신 있어 보이는 여자 기사도 보였다. 아니, 그것보다ー.

"……게임에서 동료가 되는 사람이 있어."

"오, 진짜?"

유노가 주머니에서 얼굴을 내밀고 말했다.

낯익은 얼굴을 보고 나도 모르게 맥박이 빨라졌다. 소필리아 왕녀 때도 그랬지만, 게임 등장인물과 만나는 게 아직 익숙하지 않은가 보다.

이 상황에 주인공 필리와 대화하면 어떻게 될까. ……조금 불안했지만, 술집을 계속 관찰했다. 모험가들이 대화하며 밖으로 나가는 게 보였다. 유적을 탐색하러 가는 모양이었다.

나는 점원에게 가벼운 식사를 주문했다. 담소를 나누는 모험가들의 표정이 밝았다. 이곳에 머지않아 일어날 비극을 예측한 사람은 당연히 아무도 없었다.

지금 「마왕이 대륙을 습격하고 마을이 불탈 것이다」라고 말해봤자 아무도 믿지 않을 것이다. 예언자처럼 접촉하는 방법도 있지만, 그랬다가 마족의 주목을 받으면 굉장히 성가셔진다. 역시 은밀하게 행동하는 수밖에—.

"처음 보는 얼굴이네. 이 마을은 처음이야?"

뒤에서 여자 목소리가 들렸다. 돌아보려고 하자 상대방이 내 앞으로 왔다.

그리고— 얼굴을 보자, 온 몸에 긴장이 내달렸다.

가슴까지 오는 붉은 머리카락과 고집스러운 성격이라는 인상을 주는, 강한 의지를 동반한 검고 큰 눈에 이목구비가 뚜렷한 미인. 검은 바탕의 옷을 입은 그녀는 마법사이지만 무기는 호신용 단검으로, 나는 그녀가 나름대로 소양이 있다는 것을 알고 있다.

이름은 커티 이테트. 이 마을 출신이며 게임에서 버프 마법과 회복 마법을 쓰는 유능한 캐릭터다. 하지만 후반 스테이터스가 다른 캐릭터들에 비해 떨어져서 이도 저도 아니게 되는데…… 뭐, 게임에서는 어떻게 키워도 괜찮아서 애정만 있으면 마왕전까지 데려갈 능력은 됐다.

"아, 응. 처음이야."

긴장하며 어찌어찌 대답하자 커티가 맞은편에 앉았다.

"당신도 마을 주변에 있는 유적 소문을 듣고—."

갑자기 말이 끊겼다. 시선이 내 얼굴보다 아래를 향했다.

"아, 안녕. 처음 뵙겠습니다."

유노가 주머니에서 나왔다. 얼핏 보면 정령으로 보이는데 커티는 어떻게 반응할까?

"……정령?"

"아니, 아니. 나는 천사 유노."

말해도 되나……. 뭐, 내 능력을 들킬 일도 없으니 상관없나. 그리고 정령이라고 변명해봤자 유노에게 정령 특성이 없어서 못 속이니까.

유노가 테이블 위에 서서 간단하게 사정을 설명했다. 그러자 커티가 내게 흥미로운 시선을 던졌다.

"천사의 유적을 공략했다고?"

그 부분을 꼬집는군. 나는 작게 고개를 끄덕이며 입을 열었다.

"여러 유적을 도는 중인데 이 마을 주변에 그런 곳이 많다는 이야기를 듣고 왔어."

"맞아. 유적은 있는데 조사가 끝난 곳도 많아."

"직접 조사하지 않으면 납득하지 못하는 성격이라서."

커티가 「그래」라고 대답하고 내게 제안했다.

"혹시 기회가 있으면 같이 일하자."

"그래."

커티가 깨끗하게 물러나 가게를 나갔다. 그걸 지켜본 뒤, 나는 한숨을 내쉬었다.

"어떻게, 제대로 이야기했네."

"그렇게 위험했어?"

"게임 등장인물이라 긴장돼……. 소필리아 왕녀 때도 그랬는데, 아무래도 다른 등장인물에게도 이러려나 봐."

이러면 곤란하다는 걱정을 품었을 때—.

"흐흥, 내가 나설 차례네."

유노가 가슴을 펴며 말했다.

"혹시 무슨 일 있으면 내가 도와줄게."

"……유노가?"

"왜 못 믿겠다는 표정을 짓고 그래? 걱정하지 마, 내게 맡기라고."

정말로……? 내심 의심스러웠으나 거절해봤자 무의미하다는 생각에 부탁하기로 했다.

그리고 모험가들이 들락날락하는 것을 지켜보다가…… 문득 생각났다.

"다음 일도 생각해야겠어."

"응? 뭐라고?"

유노가 물은 순간, 나는 자리에서 일어나 술집을 나갔다.

그러자 유노가 어깨에 올라탔다.

"갑자기 왜 그래?"

"시나리오대로 진행될지는 몰라도 할 수 있는 건 해야겠다 싶어서. 게임에서는 루온이 죽은 뒤, 그 자리에 열쇠가 떨어져."

"열쇠?"

"마을 근처 숲에 사냥꾼의 오두막이 있는데, 그곳에 집을 부흥시키기 위한 자금 같은 걸 숨겨놨어. 게임 스토리상, 루온이 죽고 오두막 열쇠가 우연히 떨어지는 거지. 그걸 필리가 보고 아이템 따위를 챙긴다는 이야기야."

"즉…… 루온은 죽어서 돈이 됐다고?"

"너무하네……. 맞는 말이지만."

그리고 마을이 불타버린 뒤의 일도 생각해야 했다. 악마에게서 마을 자체를 구하는 것은 필리 때문에 어려웠다. 하지만 도울 수는 있었다.

"일단 필리와 엮여서 현실이 게임대로 흐르는지 검증하자."

나는 계속 걸으며 유노에게 말했다.

"만약 시나리오대로 진행된다면 나는 눈에 띄지 않게 행동하고 소필리아 왕녀를 포함한 많은 사람을 구할 거야. 만약 시나리오대로 안 되면…… 임기응변으로 움직이자."

"힘내, 루온."

"응, 물론…… 긴 싸움이 되겠지만, 유노도 잘 부탁해."

그녀가 고개를 끄덕였다. 그리하여 우리는 마을을 나왔다.

며칠 뒤— 마침내 내 눈앞에 주인공이 나타났다.

그날, 나는 마을을 어슬렁어슬렁 돌아보고 술집에 갔다. 모험가가 많기에 나름대로 성황을 이뤄서 정오 전인데 벌써 취한 사람도 있었다.

창가 자리에 앉아 주문을 받으러 온 여자에게 물과 가벼운 음식을 부탁했다. ……마음속으로 조금 안절부절못했다.

드디어 주인공인 필리를 발견했기 때문이었다. 이 마을로 오고 있다고 확신했을 때, 몸이 긴장했다.

유노에게 말해줬더니 그녀도 추이를 지켜보고자 조심스럽게 기다렸다. 참고로 나는 작은 천사와 함께 있어서 모험가 사이에 나름 알려졌는데, 나름대로 실력은 있다는 평가를 받았다.

물을 마시며 생각했다. ……소필리아 왕녀와 교류하긴 했지만, 필리와는 시나리오대로 시작할 모양이었다. 현시점에서 다른 주인공은 움직이지 않았다. 그렇다면 그가 처음으로 게임 스토리를 따라가는 게 됐다.

가장 큰 문제는 필리를 포함한 다섯 명의 주인공 중 누구의 시나리오에 따라 마왕을 쓰러뜨리는 결말에 이르냐는 것이었다. 만약 누군가가 5대 마족에게 도전한다면 될 수 있는 대로 달려가고 싶었다. ……그렇게 생각했을 때, 술집 문이 열렸다.

아직 앳된 얼굴의 흑발 청년이 등장했다. 가죽 흉갑을 입고 부츠를 신고 허리에는 투박한 장검을 찬 그는 한눈팔지 않고 점주가 있는 술집 안쪽으로 갔다.

왔다— 바로 그가 주인공 중 한 명인 필리 아크레이스다. 신출내기 모험가처럼 생겼지만, 존재감은 여기 있는 손님 중에서 가장 뛰어났다.

"루온, 저 사람이야?"

"응, 맞아."

그는 점주와 대화했다. ……시나리오대로라면 유적에 있는 마물 토벌 의뢰를 받았을 터. 그곳은 모험가들이 여러 번 발을 들여서 값진 게 없지만, 그는 숨겨진 통로를 발견하고 아이템을 획득한다.

술집으로 돌아와 보고하면 점주가 그에게 관심을 두고 다른 의뢰를 준다. 그걸 여러 번 반복한 뒤, 내가 죽는 마을 습격 이벤트가 발생한다.

필리는 점주와 이야기를 마치고 가게 안을 걸어 한 남자에게 말을 걸었다. 두세 마디 나누자 남자가 일어났다.

그는 먼저 밖으로 나갔다. 아마 필리가 권유했을 것이다. 이어서 말을 건 것은 여자 전사. 그녀도 동의하고 가게 밖으로— 문득 그가 무슨 기준으로 권유하는지 신경 쓰였다. 게임은 내가 플레이어라 말을 거는 행위 자체에 신경 쓴 적이

없는데 현실이 되고 보니 그의 판단 기준이 궁금했다.

계속해서 관찰하니 그가 다른 데로 갔다. 술 취한 남자들이 있는 쪽이었다. 파티 권유가 아니라 정보를 들으려고 돌아다니는 모양이었다.

그는 여러 번 술집 안을 돌아다니다가…… 이윽고 내게 다가왔다.

몸에 힘이 들어갔다. 아니, 긴장할 필요가 없는데─.

"실례합니다."

조금 높은 목소리. 나는 그 목소리를 따라 고개를 돌렸다. 필리가 서 있었다.

"마을 동쪽에 있는 유적에 가려는데…… 괜찮다면 뭔가 가르쳐 주실 수 있을까요?"

─이렇게 모험가끼리 정보를 교환하는 것은 지극히 평범한 일이었다. 모험가들은 술집에서 건배하거나 대화하고 그러면 조금 아는 사이 같아졌다. 그런 사람이 죽으면 잠자리도 뒤숭숭하고 술과 밥맛도 떨어진다. 그래서 각자 생존율을 올리기 위해 다양한 정보를 교환했다. 그중에는 먼저 정보를 넘기지 않으면 교환하지 않는 사람도 있으나 이 술집에는 없는 모양이었다.

"……그래."

대답은 그렇게 했지만, 몸이 인형처럼 움직이지 않았다. 생각한 말은 있는데 입에서 나오지 않았다.

이런…… 필사적으로 머리를 굴려 간신히 입을 움직이게 되기— 직전.

"그렇게 딱딱한 표정 지을 거 없잖아, 오빠."

주머니에서 유노가 뛰쳐나와 필리에게 말을 걸었다.

뭐하는 거냐고 생각했지만, 이미 늦었다. 지금은 그녀에게 맡겨야 했다.

"……네?"

"나는 유노. 지금부터 싸우러 가는 거면 어깨 힘 좀 더 빼."

유노가 일방적으로 말하자 필리가 어안이 벙벙해 했다. 잠시 뒤, 그가 정신을 차리고 물었다.

"어깨 힘?"

"그래, 그래. 동굴이나 미궁 속에서 계속 긴장해 있으면 몸이 못 버틴다고."

"—분명, 틀린 말은 아니네."

나는 겨우 태세를 가다듬고 필리에게 말했다.

"보아하니 신참 모험가 같은데 그렇게 긴장할 거 없어."

"네…… 감사합니다."

필리가 감사를 표하고 물러났다. ……일단 별일 없이 대화를 마쳤다.

"……유노."

"왜~?"

"고마워. 덕분에 살았어."

"흐흥, 도움이 됐지?"

나는 고개를 끄덕였다. 이번만은 유노에게 진심으로 감사했다.

필리와의 첫 접촉을 무사히 넘긴 다음 날, 나는 정보 수집에 매달렸다. 그가 움직이기 시작했으니 다른 주인공들도 움직였을 거라고 추측했다.

결과적으로 아직 움직임은 없으나 마왕의 습격이 가까운 것은 분명했다.

발크스 왕국이 습격받기 전에 주인공들이 게임처럼 성장하고 있는지 조사하고 싶었다. 만약 그렇지 않으면 마왕을 쓰러뜨릴 방법을 다시 생각해야 했다.

나는 마을 여관에 방을 잡고 거점으로 삼아 활동하기로 했다. 필리가 말을 건 동료들과 함께 유적으로 간 다음 날 낮, 술집으로 발을 옮겼다.

어제와 같은 자리에 앉아 점원에게 요리를 부탁하고 술집을 둘러봤다. 멤버가 조금 바뀌었지만 가게 안의 분위기는 여전했다. 요리를 기다리는 동안 유노가 주머니에서 나와 나를 지켜보는 자세를 잡았다.

……갑자기 의문이 생겼다. 게임 내의 술집 멤버는 대체로 같았다. 연출상 당연한 일인데, 그런 것도 재현됐을까?

나온 음식을 먹으며 관찰해보니 다소나마 사람이 출입한

다는 걸 알았다. 하지만 엑스트라까지 명확하게 기억하는 것도 아니고, 게임도 아닌데 똑같이 재현하기는 어려울 거라고 생각하는데—.

술집 문이 열리고 필리 일행이 나타났다. 생각보다 빨리 온 그들을 바라보는데, 필리가 술집 손님들에게 눈길도 주지 않고 점주가 있는 안쪽으로 갔다.

그리고 그들은 몇 마디를 나눴다. 주위에 잡음이 있지만, 의식을 집중해 그들을 살폈다. 이윽고 점주가 놀라는 소리가 들렸다.

유적에서 아이템을 획득한 듯했다. 그가 5대 마족을 쓰러뜨릴지는 불명이지만, 아무튼 게임 시나리오대로 나아가고 있다는 것은 알 수 있었다.

일단 필리를 제외한 멤버들은 술집을 나갔다. 그는 시나리오 초반에 파티를 매번 바꿨다. 같은 멤버로 갈까, 다른 사람과 파티를 짤까—.

필리는 술집 사람들을 둘러봤다. 그가 어떡할지 생각하는데, 필리가 일단 예전에 내게도 말을 건 커티에게 다가갔다.

두 사람은 대화하기 시작했다. 커티의 시선이 잠깐 내 쪽을 향했다. 설마한 순간, 그녀가 자리에서 일어나 술집을 나갔다. 그리고 필리는 다시 가게 안을 둘러보다가— 나와 눈이 마주쳤다.

그가 곧장 돌진해왔다. 유노도 알아차리고 빤히 시선을

보냈다.

"실례합니다."

"······응, 무슨 일이야?"

이번에는 어찌어찌 자연스럽게 대응했다.

"그러고 보니 자기소개를 안 했네요. 필리 아크레이스라고
합니다. ······다른 분께 이름을 들었어요. 루온 마딘 씨죠?"

커티에게 들었나.

"잠깐 여쭤보겠습니다. 지금 맡고 계신 일 있으세요?"

"아니, 없어."

"그렇군요. 저는 의뢰를 받고 동굴로 가려는 참인데······
같이 탐색할 수 있을까요?"

필리를 검증해야 하니 나로서는 잘된 일이었다.

"보수는 균등하게 나눌 거예요."

"응, 상관없어."

"잘 부탁해, 필리 씨."

유노가 말을 걸었다. 그러자 그녀를 마주 본 필리가 다정
하게 미소 지었다.

"잘 부탁드립니다. ······루온 씨, 밖에서 잠깐 기다려주실
래요?"

"그래."

나는 승낙하고 자리에서 일어나 밖으로 나갔다. 가게 입구
근처에 커티와 아까 필리와 헤어진 인물— 여자 전사 한 명

이 있었다. 기다리는 걸 보니 필리에게 계속 협력하는 건가?

가죽 갑옷과 허리에 찬 검. 그리고 금발 벽안…… 그림으로 그린 듯한 미인이 팔짱을 끼고 위풍당당하게 선 모습은 제법 그럴 듯하고 멋졌다.

"뭐야?"

여자가 의아한 시선을 보내며 중성적인 목소리로 말했다. 나는 「미안」이라고 대답하고 문을 끼고 반대쪽에 섰다.

"여기서 기다리래서. 혹시 같은 일행인가 했지."

"아, 필리에게 권유받았군?"

그녀가 이해했다. ……나는 전생의 기억에서 이름을 끄집어냈다. 코리 나우센이라는 이름이었다. 힘 성장률이 모든 캐릭터 중 탑5에 들 정도의 호걸이나 낮은 마법 방어력이 단점이었다. 일단 마지막까지 쓸 만한 요소는 겸비했으나 낮은 마법 방어력을 보충하지 않으면 힘들었다.

"오오— 멋있다."

유노가 코리를 보고 감상을 말했다. 그러자 그녀가 흥미를 보이며 말했다.

"천사님이군. 나도 조금 신경 쓰였어."

"있지, 루온. 혹시 나 제법 유명인이야?"

"이 술집 한정으로. 도시에는 정령을 데리고 다니는 모험가가 많은데, 이 주변은 적어서 신기해 할 거야."

"그 실력, 꼭 보여 주셔야겠어."

커티가 말했다. 내가 「보세요」라고 대답한 순간 필리가 밖으로 나왔다.

"모여 주셔서 감사합니다. ……함께 일하게 됐으니 잘 부탁합니다."

이 멤버로 처음 파티를 꾸렸는데 분위기가 좋은 것이, 함께 여러 번 싸운 것 같은 기분이 들었다.

이건 분명 필리에게서 느껴지는 분위기 때문이다. 역시 주인공이라 할 만하구나……. 찬찬히 생각해보면 그는 커티, 코리와 교섭해서 수월하게 파티에 넣었다. 필리에게는 사람을 끌어당기는 그만한 무언가가 있으리라. 아니면 파티를 이렇게 쉽게 재편성할 리가 없었다.

우리는 간단한 자기소개를 했고, 필리가 이어 말했다.

"내일 해뜨기 전에 여기서 모이죠. 저는 필요한 도구를 사 오겠습니다."

두 여자가 고개를 끄덕였고 나도 뒤늦게 수긍했다. 일단 파티는 해산했다.

내일, 주인공 필리와 함께 움직이게 됐다. ……전투 상태 등을 포함해 많은 걸 봐야겠다.

"이번 일로 주인공을 검증할 수 있겠네?"

걷는 중에 유노가 언급했다.

"응, 첫 번째 목표는 달성하겠어."

"루온은 그들과 함께 싸울 때, 어떻게 움직일 작정이야?"

"어떻게 움직일 거냐면…… 전력을 다하면 안 되니까 필리 일행의 움직임에 맞춰서 대응할 거야."

"그 부분에 관해서는 나도 도와줄 수 없어. 힘내."

그녀의 말에 알겠다는 의미로 고개를 끄덕이자, 이번에는 다른 것을 물어왔다.

"이 일이 끝나면 어떻게 할 거야?"

"……아직 다른 주인공들은 움직이지 않고 있어. 그러니까 나도 내가 죽는 습격 이벤트가 일어날 때까지 여기 있으려고 해."

"다 끝나면 왕녀님을 구하러 갈 거지?"

"맞아."

나는 대답하고 가볍게 기지개를 켰다. 드디어 게임에 깊이 관여하게 됐다. ……고양감마저 느끼며 내일을 대비해 쉬기로 했다.

다음 날, 나는 필리 일행과 함께 새벽녘에 마을을 떠났다. 몇 시간 뒤, 동굴에 들어갔다.

이름은 분명 로마스의 동굴이었다. 로마스는 지역명이니, 그냥 로마스 지방에서 발견된 동굴이라는 뜻이었다.

필리에게는 두 번째 의뢰인 이 동굴의 적은 나와 싸우기에는 약했다. 마왕에게 대항할 힘을 가진 나는 최대한으로 신체를 강화하면 어떤 마물도 눈 깜짝할 사이에 죽일 수 있었다.

하지만— 내가 단련한 것은 마력 방면이었다. 헤아릴 수 없는 마물들과의 전투를 통해 근력도 단련하기는 했지만, 기초적인 운동능력이 평범한 사람보다 훨씬 뛰어나지는 않았다. 즉, 마력만 조절하면 눈에 띄지 않고 움직일 수 있었다. ……그러나 어떤 상황에도 대응할 수 있게 무의식중에 힘을 발휘하는 훈련을 한지라 의식적으로 힘을 줄여야 했다. 그게 이번 과제였다.

이 동굴에 들어가기 전에 배치를 어떡할지 이야기했다. 필리와 코리는 전방이 분명했고, 커티는 마법사라 당연히 후방이었다. 나는 어디든 문제없었으나 여러 마법을 쓸 수 있어서 후방에 있게 됐다.

필리 일행을 지원하다가 마물 수가 많아지면 전방으로 나가 대응하는 식으로 움직였다. 그 결과, 전원 부상 없이 동굴 중간지점에 도달했다.

"되게 익숙하시네요."

휴식 중, 필리가 말을 걸어 왔다. 나는 들고 있던 물통에서 물을 한 모금 마시며 응수했다.

"경험 차이 아닐까? 내가 싸워온 시간이 필리보다 조금 더 길잖아. 필리도 머지않아 이렇게 싸울 거야."

"그러면 좋을 텐데요."

자기는 아직 멀었다고 생각하는지 필리가 쓴웃음 지었다.

그때 갑자기 유노가 대화에 끼어들었다.

"있잖아, 필리 씨는 왜 모험가가 됐어?"

"딱히 대단한 이유는 없어요. 실력을 확인해보고 싶어서 핀트에 왔습니다."

"지금 이상으로 할 마음이 있다면 더 강해질 거라 봐."

코리가 어깨를 으쓱했다. 필리를 신뢰하는 게 표정에 드러났다.

"있지, 코리 씨는 필리 씨랑 예전 일도 같이 했지?"

유노가 그녀에게 질문했다.

"응? 맞아, 그런데?"

"같이 일하는 이유가 있어?"

"전투 상성이 좋아서 재미있다는 게 이유 중 하나야. 그리고 무엇보다—."

그녀가 자기 오른손을 바라봤다.

"그와 함께 싸우면 지금보다 강해진다는 실감이 드니까."

······필리와 함께하면서 실감할 정도로 단번에 성장했나?

나는 그에게로 시선을 옮겼다. —게임상, 첫 던전을 시작 레벨로 공략한다고 치면, 동굴은 적어도 레벨을 두세 번은 올려야 제패할 수 있었다.

필리와 코리는 동굴에 들어올 때, 이미 그만큼 레벨이 올라있었다. 커티는 아니었지만, 동굴 중간 지점에 도달하니 들어왔을 때보다 마법 위력이 올랐다.

나는 루온이 모험가로 활동했을 때를 머릿속에서 끄집어
냈다. 던전 하나를 돌파하고 이렇게 쉽게 성장한 모험가는
여태껏 만나보지 못했다.

게다가 나와 다르게 어떤 식으로 강해질지 고려하지 않았
다. ……문득 유노를 보니 나를 보며 작게 고개를 끄덕였다.
어떻게 된 건지 추측한 모양이었다.

그럼 생각하지 말고 나중에 물어보자. ……나는 다시 필리
를 봤다.

확실히 말할 수 있는 게 한 가지 있었다. 필리는 게임에서
레벨을 올리듯 척척 강해지는 게 분명했다. 그렇다면 다른
사람들이 기대하는 것도 이해가 됐다. 필리가 동료를 끌어
들이는 카리스마적인 매력과 현자의 피를 이은 것을 고려하
면 마왕을 쓰러뜨리기에 충분한 그릇이라고 확신했다.

주인공이라고 할까, 영웅이나 용사라고 불리는 『진짜』 존
재는 이런 것부터 남다르구나. ……이상한 데서 이해했을
때, 필리가 호령하며 앞으로 나아갔다.

그 뒤에도 마물을 정확하게 처리했다. 코리가 적을 제일
많이 쓰러뜨렸고, 커티도 마력이 아직 여유로운지 필리 일행
을 확실하게 지원했다. 최고의 연계에 동굴 탐색이 무척 순
조로웠다. 그 결과, 곧 보스가 있는 가장 안쪽에 도착할 상
황이었다.

보스는 동굴 안쪽에 봉인된 마수다. 필리가 들렀을 때, 우

연히 부활하는데…… 찬찬히 생각해보면, 편의주의라고 해도 무방한 상황이었다. 하지만 이런 것도 그가 영웅이 되면 「무슨 일이 있었다」고 이유가 따라붙는다.

마물을 쓰러뜨리고— 드디어 가장 깊은 곳에 도착했을 때, 필리가 멈춰 섰다.

"……기척이 느껴져."

"응?"

코리가 반응한 순간, 동굴 안에서 작은 땅 울림이 생겼다. 두 여자가 주위를 둘러봤을 때, 갑자기 안쪽 벽면이 와르르 무너지기 시작했다.

우리가 얼른 무기를 겨누자 보스가 나타났다.

회색 털을 가진 늑대……인데, 괴이할 정도로 일그러진 얼굴이 보는 사람을 두렵게 했다. 이름은 분명 『던 울프』.

"이 녀석은……!"

필리가 경계했다. 커티와 코리가 어떻게 해야 하나 그에게 시선을 보냈으나 그는 마수를 주시하며 생각했다.

게임은 문답 무용으로 전투인데…… 어떡할 거야?

"—필리."

내가 말을 거는 사이, 마수가 더 가까워졌다. 그리고 그는—.

"저와 코리는 전방에. 커티와 루온 씨는 후방에서 지원해 주세요."

"알았어."

"알겠습니다."

나와 커티는 승낙하고 물러났다. 그리고 필리와 코리가 앞으로 나갔다.

"괜찮을까?"

유노가 불안해하며 말했다. 나는 걱정하지 말라고 마음속으로 중얼거리고 조용히 마물을 지켜봤다.

능력은 외모와 달리 그리 높지 않았다. 동굴에 들어왔을 때보다 레벨도 올랐으니 필리 일행이 충분히 이길 수 있었다.

주의할 것은 하나. 이 녀석은 나름대로 공격력이 높고, 게임의 상태 이상인 『다운』이라는 효과를 준다. 일정 시간 움직이지 못하는 기절 효과 같은 것으로, 이걸로 계속 공격하면 골치 아플 우려가 있었다.

아마 커티는 공격 마법으로 지원할 터— 그럼 나는 버프를 담당하자.

"갑니다!"

필리가 기합을 넣고자 소리를 내지르며 전투가 시작됐다. 그가 가장 먼저 공격했다. 뛰어들듯이 접근해 검으로 머리를 공격했다.

공격이 멋지게 들어가 대미지를 줬다. —이어서 마수가 반격했다.

마수는 갑자기 앞으로 몸을 숙이더니 힘을 실어 앞발톱으로 공격했다.

필리가 검으로 막았다. 발톱이 부딪히며 키잉— 높은 소리가 울렸다. 위력을 죽이지 못해 약간이지만, 발톱이 흉갑에 부딪혔다.

"큭!"

"필리!"

코리가 이름을 부르며 커버하듯이 공격하자 마수가 비틀거렸다.

"—받아라! 불꽃이여!"

커티가 이어서 마법을 썼다. 불 속성 하급 마법 『파이어볼』로, 근처에 있는 내게 온도가 전해졌다.

불덩어리가 던 울프에게 날아가 직격하자 불이 튀어 마수의 몸이 잠시 불길에 휩싸였다.

훌륭한 연계였다. 마수가 크게 휘청거리자 필리가 추가로 공격하려고 접근했다.

"흡!"

기합과 함께 휘두른 일격을 마수가 앞발로 뿌리쳤고……
나는 위험하다고 직감했다.

마수가 필리에게 반격했다. 그는 피하지 못해 검을 방패삼아 막았고…… 그대로 세차게 튕겨져 날아갔다.

"윽!"

내가 보기에 분명히 『다운』됐다. ……그럼 지금은—.

"필리!"

나는 회복 마법을 썼다. 게임에서 상태 이상과 HP를 회복하는 『하늘의 성수』라는 중급 마법이었다.

잠깐 사이, 필리에게 빛이 모이고 『다운』 상태에서 회복했다. 이참에 보조 마법을 걸을까 망설이는데 그가 용맹한 얼굴로 나를 바라봤다.

"고맙습니다."

감사를 표하더니 당장 태세를 다듬고 달려갔다. 필요 없어 보였다.

"······지금 그건?"

유노가 작은 목소리로 물었다. 격전이 이어지는 중, 나는 다음 마법을 쓸 타이밍을 살피며 대답했다.

"회복 마법이야. 아까 같은 공격을 받아도 바로 일으키는 효과가 있어."

해설 직후, 필리의 공격이 마수의 머리를 때렸다. 확실히 효과가 있었다. 마수가 반격하려고 했지만, 코리와 커티의 연계 공격을 받고 움직임이 눈에 띄게 둔해졌다.

그 뒤로는 일방적이었다. 필리와 코리가 쉴 새 없이 공격을 퍼부었다. 마수는 반격할 여력이 없었고····· 필리의 마지막 공격에 마수가 소멸했다.

"이걸로 의뢰를 달성했네요."

마수가 있던 곳을 바라보며 필리가 중얼거렸다.

"동굴 가장 깊은 곳에 이런 마물이 있다는 정보는 없었는데…… 장기도 길고, 무슨 이변이 일어날 전조일까요?"

마족이 침략하려고 이것저것 손 쓴 영향이겠지……. 그런 생각을 하는데 코리가 필리의 말에 동의하며 입을 열었다.

"그럴, 수도 있겠네……. 그만 돌아갈까?"

"그래요. 돌아가죠."

필리의 말에 우리는 동굴을 뒤로했다. ……끝나고 보니 싱거웠으나, 이렇게 주인공과 함께 파티를 맺고 싸운 것은 좋은 경험이었다.

마을로 돌아와 나는 애초 예정대로 습격 이벤트가 끝날 때까지 마을에 머물기로 했다. 사역마에 의하면 다른 주인공들은 아직 행동을 개시하지 않았다. 어쩌면 필리 외에는 게임과 다르게 흘러가나 싶었는데, 어찌됐든 상황을 지켜봐야 했다.

그러는 중에 나는 유노와 필리의 성장 능력에 관해 이야기를 나누려 했으나…… 유노는 갑자기 「조사한다」면서 다른 모험가와 한 번 더 일을 시켰다. ―그리고 필리가 네 번째 일을 받고 여행을 떠난 다음 날, 결론이 나왔다.

"현자의 후예는 자신은 물론이고 다른 사람의 성장 능력도 끌어올리는 힘이 있어."

마을을 산책하던 중, 유노가 내 주변을 날아다니며 말했다.

"필리가 현자의 핏줄이라서 강해지는 건 틀림없어. 왜, 싸우면서 마력을 밖으로 꺼내잖아?"

"기술과 마법을 쓰면 그렇지."

"동료가 그의 마력과 접촉하면 현자의 핏줄과 동등한 정도의 성장 능력을 갖추게 돼. 실제로 다른 모험가와 함께 움직였을 땐 아무도 성장하지 않았잖아? 코리가 강해진 건 필리와 관련이 있는 거라고."

필리의 마력의 영향을 받는다는 건가……. 그 말에 의문이 솟았다.

"소필리아 왕녀의 경우에는? 기사로 훈련받고 마법까지 습득했어. 그렇게 단련했으면 처음 만났을 때 이미 강해야 하지 않아?"

"계기가 있지 않을까?"

"왕녀는 계기가 없었다고?"

"가령 성장 능력이 높아지는 걸 『각성』이라고 한다고 쳐. 훈련해도 각성은 못 한 거 아니야?"

……과연, 성장하려고 해도 어떤 조건이 필요하다는 말인가.

"그러니까 이 성장 능력만 있으면 마왕에게도 대항할 수 있을 거야."

유노가 계속 말했다.

"즉, 사람이 마왕을 무찌를 정도의 힘을 얻는 데는 세 가지 방법이 있다는 거야."

"세 가지?"

"하나는 아까 말한 듯이 현자의 후예이거나 그 근처에서 싸울 것. 두 번째는 순수한 재능을 가진 것. 나라의 장군이 라든가 소문날 정도로 대단한 전사가 여기에 해당해."

"그렇구나. 그럼 남은 하나는?"

"루온 같은 전생자. 단, 재능을 가진 사람과 전생자는 급속하게 강해지진 못해. 그건 현자의 핏줄의 특권이야. 다만, 이건 어디까지나 강해지는 방법이지 기술과 마법을 습득하는 지식과는 별개야. 역시 인간이 강해지려면 온갖 장애가 있다니까."

특권이라. 그런 거라면 게임대로 전개돼도 충분히 대응할 수 있겠다.

"음, 원인은 알았네. 고마워, 유노."

"별말씀을. 앞으로는 어떻게 할 거야?"

"일단 대기. 왜냐면—."

나는 목소리 톤을 낮췄다.

"필리가 네 번째 일을 받고 마을을 떠났어. ……아마 오늘, 마을이 습격당할 거야."

그 말에 유노의 표정이 굳었다.

"마을을 습격하는 마물은 어디서 와?"

"……그건 풀리지 않았어. 악마 무리가 하늘에서 오는데 대부분은 다른 데로 날아가고—."

거기까지 말했을 때, 내 시야에 한 사람이 들어왔다.

"안녕."

"⋯⋯안녕."

커티였다. 나를 가만히 바라보는데, 무슨 볼일 있나?

"왜 그래⋯⋯? 아, 그냥 물어보는 건데 이제 필리하고 파티 안 맺어?"

"응. 저번 동굴 전투 뒤에 한 번 더 같이 일하고 이번에는 패스했어."

"그렇구나."

"그건 그렇고, 당신한테 물어볼 게 있어."

그녀가 팔짱을 끼고 물었다. 심각한 이야기 같기도 했다.

"좋아. 뭔데?"

"⋯⋯동굴에 갔을 때 말인데."

"응."

"단도직입적으로 물을게. 당신, 『하늘의 성수』를 썼지?"

⋯⋯윽, 맞다. 이런―.

그녀가 무슨 말을 하려는지 바로 알아차렸다. 내가 사용한 마법을 보고 왜 이런 벽지에 있냐는 의문이 생겼으리라.

"그 마법을 직접 보는 건 이번이 두 번째인데⋯⋯ 치유계 마법 중에서도 어려운 마법이야. 그걸 쓸 수 있는 당신이, 왜 이런 마을에 눌러 앉아있어?"

"있으면 안 돼?"

"그런 말은 아니지만, 흥미로워서. 이 마을이 내 고향이라 잘 아는데…… 이 주변은 강한 마물이 적어. 유적이 목적이어도 좀 이상하다 싶어서."

으음…… 흥미로운 게 다라면 적당한 이유로 얼버무리는 것도 하나의 방법인데…… 이상한 소문이 나면 귀찮아진다.

가령 지금 능력을 다 공개하면 마왕과의 전투를 부추길 것이다. 나는 간부 클래스인 5대 마족을 홀로 무찌를 레벨에 도달했으나 마왕을 무찌르지는 못한다. 즉, 무엇을 얼마나 하든, 내가 마왕과 싸울 때 선두에 서면 대륙 붕괴 루트로 달려간다.

필리를 억지로 데리고 가는 방법도 있지만…… 시나리오가 붕괴될 가능성이 커진다. 다시 시작할 수 없으니 그러고 싶지 않았다.

그렇다고 얼버무리려 해도 마땅한 이유가 없으면 이해하지 않을 것이다. 입막음할 필요가 있었다.

"……그렇지."

나는 작게 말을 흘리고 시선을 피했다. 자, 어떻게 설명하지—.

그때였다. 마을 주변을 날아다니는 사역마에게서 보고가 들어왔다.

"……아."

"왜 그래?"

커티가 내 반응에 눈썹을 찌푸렸다. 하지만 대답하지 못했다.

사역마에게서— 드디어 악마가 도래한다는 보고가 왔다.

내가 침묵하는 동안, 유노가 내 앞으로 나와 커티와 이야기했다. 그녀가 대화를 이어받은 모양인데— 그동안에도 악마 무리가 다가왔다.

"……어떤 놈이 이끄느지 확인해야 해."

발각돼서 날려버릴 가능성도 없지 않지만…… 나는 사역마에게 악마 무리에게 다가가라고 지시했다.

사역마는 비행하며 악마를 포착했다. 대부분 근육질 인간형이었다. 사람 신장보다 배나 큰 것도 있고, 그야말로 일반인에게는 절망의 상징이나 다름없었다.

이곳에 악마가 있다는 것은 즉, 마왕이 마침내 대륙에 도래했다는 것. 새삼 그 사실이 눈앞에 닥쳐오자 몸이 긴장했다.

사역마를 조작해 이 무리를 지휘하는 존재를 찾았다. 게임에서는 전혀 언급되지 않았으나 이만한 악마를 이끌려면 지휘관이 있을 터였다.

이내 나는 그럴싸한 존재를 발견했다. 악마 중 유일하게 인간처럼 생겼고 검은 옷을 입은—

"뭐……?!"

나도 모르게 신음했다. 그것은 게임에서 본— 내가 예상하지 못한 인물이었다.

"루온?"

커티와 대화하던 유노가 그런 나를 알아차리고 물었다. 나는 대답하려 했지만, 이번에는 멀리서 들린 비명에 막혔다.

"악마다—!!"

한 모험가가 외쳤다. 동시에 주변에 있던 사람들이 뛰어다니며 마을 내에 경고하기 시작했다.

"악마……?"

커티가 그렇게 중얼거리고 나를 두고 움직이기 시작했다.

"……루온?"

그리고 유노의 부름에 나는 드디어 본래 상태로 돌아왔다.

"미안…… 우리도 움직이자."

나는 발을 움직였다. 주위를 둘러보니 예상 못 한 사태에 마을 사람들도 우왕좌왕했다. 모험가들만이 마을 사람을 피난시키기 위해 돌아다녔으나 혼란스러운 상황이라 잘 안 됐다.

필리 일행은 저 악마들이 밀어닥치고 마을이 공격당하는 단계에 돌아오는데…… 그때, 하늘에 빛이 보였다. 악마들 주위에 만들어진 흰 빛…… 아니, 아니다. 저건—.

"—마법이다!"

나는 그렇게 외치며 저 빛이 불을 휘감은 창이라고 확신했다. 주위에 있던 모험가들이 서둘러 마을 사람과 동료들에게 숨으라고 했다.

창의 수는…… 어림잡아 수십. 마음만 먹으면 저 불을 전부 막을 수도 있지만…… 그러면 이 자리에서 갑자기 영웅이 되기 때문에 그러지 못했다.

"유노, 숨어있어!"

"응."

그녀가 주머니에 숨었다. 그 직후, 불의 비가 쏟아졌고─나는 쏟아지는 불을 회피했다.

마을 사람 중에 직격당할 뻔한 사람이 있었으나 내가 마법으로 막아 화를 면했다. 창 대부분은 지붕에 꽂혔고 여기저기에서 불길이 치솟았다. 금세 살이 탈 것 같은 열이 마을에 가득 차고 시야가 붉게 물들었다.

혼돈에 빠지기 시작한 마을 안에서 나는 악마들을 바라봤다. 그대로 하늘을 쭉 날아가는 것과 내려오는 것이 있었다. ……하지만 마을로 오는 악마는 소수. 부대를 지휘하는 마족은 이대로 날아갈 작정인지 내려올 기척이 없었다.

"분명 시나리오에서는 날아온 악마 몇몇이 마법으로 마을을 파괴하고…… 루온은 그 와중에 죽었어."

지금의 나라면 괜찮겠지만…… 그렇게 생각하며 달렸다. 도중에 도망치는 게 늦은 마을 사람을 구출하고 피난하라고 소리 질렀다.

마을에 있던 모험가들은 마을 사람 보호를 우선하며 악마에게 다가가지 않았다. 현명한 판단이었다. 그러나 나는 안 좋은 예감이 들었다.

"게임에서는 그러지 않았는데 악마를 공격할 가능성도……."

나는 커티를 떠올리며 움직였다. 게임에서는 아무 일 없었지만, 고향이 불타는 상황이었다. 어쩌면—.

이내 그녀를 발견했다. 마을 입구 근처이자 루온이 악마의 공격을 받고 쓰러지는 곳이기도 했다.

"커티, 괜찮아?"

업화를 두른 건물을 응시하는 커티에게 말을 걸었다. 반응이 없었다. 못 박힌 듯 서 있었다.

"……왜."

그녀가 두 주먹을 세게 쥐었다.

그 모습을 보고 나는 어떻게 해야 할지 순간 망설였다. 하지만 이 자리에서 벗어나야 한다는 생각에 다시 이름을 부르려고 한 다음 순간— 눈앞에 검은 그림자가 날아들었다. 나보다 배는 될 것 같은 거대한 악마 한 마리가 보였다.

녀석은 이빨을 드러낸 추악한 얼굴로 우리를 봤다. 그리고 루온이 아니라 커티가 시나리오를 덧그리듯이 악마에게 접근하려고 했다.

"……너희가—."

"기다려, 커티!"

나는 그녀의 어깨를 붙잡고 불러 세웠다.

"이길 수 있는 상대가 아니야. 분하지만 지금은 피해야—."

그렇게 말하는 게 한계였다. 악마가 우리를 타깃으로 삼았는지 박쥐 같은 날개를 좌우로 한계까지 펼치고 위협했다.

우리 외에는 아무도 없었다. 하늘에 있던 무리는 이미 날아갔다. 마을에 내려온 악마도 눈앞에 있는 이 녀석을 남기고 전부 사라졌다.

"냐."

커티가 내 손을 뿌리치려고 했다. 기다리라고 해도 듣지 않을 기세였다.

악마가 으르렁거렸다. 커티의 살기를 느꼈는지…… 으르렁거림이 우리를 도발하는 것 같았다.

"커티—"

다시 불러 세우려던 때였다. 악마가 사납게 거리를 좁혔다.

커티가 반응할 수 있는 움직임이 아니었다. 그녀의 눈에는 접근한 악마가 오른팔을 휘둘러 그 손톱을 내리치려는 광경이 비쳤으리라.

주문을 외울 시간도, 옴짝달싹한 시간도 없었다. 적어도 커티는 그랬을 것이다.

하지만 나는 달랐다.

악마가 오른팔을 휘둘렀다. 모험가 열 명은 한 방에 날려버릴 위력이었다. 나는 순식간에 검을 뽑아 옆으로 휘둘렀다.

순간, 팔과 검이 교차하고— 내 공격이 악마의 오른 팔꿈치 앞을 깨끗하게 잘랐다.

—우오오오오오!

악마가 포효했다. 멍하니 있는 커티 앞에 서서 그녀에게 외쳤다.

"후방에 있어 줘! 이 악마는 쓰러뜨린다!"

사역마로 관찰하는 마족은 한결같이 어딘가로 향했다. 눈앞에 있는 악마를 무찌르면 반응을 보일 가능성도 있지만―.

여러모로 궁리하던 중, 생각났다. 검을 휘두르고 깨달아 버렸다.

틀림없이, 나는 이 녀석을 죽일 수 있다.

눈앞의 악마를 쓰러뜨려 시나리오가 바뀔지 어떨지⋯⋯ 일단 사역마로 계속 관찰해야겠다고 생각하며 악마가 남은 왼팔을 들어 올리는 것을 봤다.

나를 뭉개버리려고 육박하는 손을 뒤에 있는 커티를 신경 쓰며 회피했다. 옆으로 뛰어 피하며 검에 마력을 실었다.

이어서 아래에서 위로 검을 휘둘렀다. ―그와 함께 생긴 바람의 칼이 악마에게 돌진했다.

상대는 피하지 못했다. 소리 지를 여유도 없이 바람이 악마의 몸에 직격했고, 바람의 칼이 몸을 뚫고 지나가며 몸을 두 쪽으로 갈랐다. 악마는 단말마도 지르지 못하고 소멸했다.

"⋯⋯눈앞의 이 녀석이 나를 죽인 악마로군."

커티에게 들리지 않을 정도로 작게 속삭였다. 이것으로 루온의 사망 이벤트를 막았다고 생각하며 주위를 둘러봤다. 마을이 불길에 휩싸여 절망적인 상황이었다.

이어서 커티를 봤다. 그녀는 내가 악마를 일격으로 쓰러뜨린 것을 보고 다른 의미로 멍하니 있었다.

물어볼 게 산더미겠지. 나는 그녀가 말하기 전에 입을 열었다.

"지금은 마을 사람들을 피난시키는 게 우선이야."

"……그, 그래."

그녀가 동의했다. 아까와 다르게 바로 행동에 나섰다.

나도 마을을 수색했다. 불타오르는 마을 안에서 희생자가 나오지 않기를 기도하며 마을 사람들을 찾았다.

그러던 중, 필리가 돌아왔다.

그는 용병에게 이야기를 듣고 하늘로 분노의 눈길을 던졌다. 그 광경을 보고 나는 시나리오대로 이야기가 진행되겠다고 생각했다.

그렇게 확인한 뒤, 근처에 있던 용병에게 지시하고 움직였다. 부상자 수가 상당했다. 참상을 생각하면 당연히 화상이 많았다. ……나도 마법을 쓰고 있지만, 단순한 부상과 다르게 화상은 치료하기 어려웠다. 어떤 치유계 마법을 써도 마찬가지였다.

예를 들어 게임에서는 독 같은 상태 이상은 약을 쓰면 깨끗하게 회복하지만…… 현실은 그것도 쉽게 낫지 않았다.

부상도 그랬다. 게임에서는 공격당하면 HP가 줄지만, 마법으로 완벽히 치료할 수 있었다. 하지만 현실에서는 상처를 고쳐도 피를 흘리면 그만큼 피가 부족하고, 치료한 환부의 위화감도 바로 사라지지 않았다. 그리고 단순한 부상 외의 화상이나 동상 같은 건 치료하기 어렵다기보다는…… 그런 부상에 효과가 있는 마법이 필요한 것 같았다. 그런 마법은 게임에 존재하지 않아서 습득하지 않았다. 이건 내 실수인가.

아무튼 할 수 있는 범위 내에서 대처해야 했다. 잘 치료하지 못해서 조금 화가 나는 것을 느끼며 나는 마을 사람들을 계속 치료했다.

"—놈들을…… 절대로 용서하지 않겠어."

다음 날, 붕괴한 마을을 보고 필리가 중얼거렸다. 그의 동료들은 마을을 돌아다니고 있어서 주변에 없었다. 모험가들도 거의 없어졌다. 필리와 나를 포함한 소수만 남았다.

지금은 망연해하는 마을 사람들과 연락을 받고 달려온 나라의 병사와 기사가 사태를 수습하고 있었다. 참고로 내가 악마 한 마리를 격파해도 마을을 공격한 악마들은 돌아오지 않았다. 앞으로도 경계해야 하지만, 일단 현재로서는 문제없었다. 이 점에는 정말 안도했다.

한편, 마을 상황은 격변했다. 예전 모습을 찾아볼 수 없을 만큼 처참했다. 무너지지 않은 건물은 몇 채뿐……. 하지만 그것도 비바람을 견디기 어려워서 모두 마을을 떠나야 했다.

부상자는 있지만, 사망자가 없어서 다행이었다. ……들은 바에 의하면 내가 응급 처치해서 건진 생명도 있는 모양이었다. 불행 중 다행이었다.

필리는 모두 살아있다는 사실에 가슴을 쓸어내리고 마족과 싸우겠다고 결심하지 않을지도 모른다. ―마을 피해 상황을 듣고 한때는 그런 걱정을 했으나, 문제없어 보였다.

"용서하지 않겠다, 라."

나는 머리를 긁적이며 붕괴한 마을을 바라보면서 필리에게 말을 걸었다.

"악마 무리……. 아무래도 대륙에 성가신 일이 일어나려는 모양이야. 악마는 마족이 통솔한 것 같고, 놈들이 대륙을 공격하러 온 거라면―."

"바라던 바입니다."

"……증오하는 건 이해해. 하지만 놈들과 싸우려면 냉정함을 잃지 말아야 해."

그렇게 조언했으나 역시 사건 직후라 그런지 분노가 앞섰다. 그 모습을 보며 나는 품에서 무언가를 꺼냈다.

"필리. 이제부터 여행을 떠날 거라면 줄 게 하나 있어."

"……네?"

그가 내가 건넨 물건을 보고 말했다.

"……열쇠, 인가요?"

"이 마을 약간 남쪽에 숲이 있어. 그 숲속에 작은 사냥꾼 오두막이 하나 있는데…… 거기에 내가 모은 돈과 도구 몇 개가 있어. 필리에게 줄게."

"네? 도구를?"

필리가 어리둥절한 표정을 지었다. 나는 「응」이라 대답하고 말을 이었다.

"사실은 다른 목적이 있어서 모았는데…… 마왕과 싸울 때 쓴다면 더할 나위 없겠어."

"괘, 괜찮아요? 그런 소중한 물건을……."

"괜찮아. 난 마족과 싸울 용기도 없으니까…… 필리에게 맡길게."

심장이 쿵쾅거렸다. 나, 꽤 멋진 말 하네. 그런 바보 같은 생각을 하며 필사적으로 동요를 억누르고…… 말을 기다렸다.

필리는 나와 열쇠를 번갈아 봤다. 그리고 받아들였다.

"고맙습니다."

"괜찮다니까. 도움이 됐으면 좋겠어."

"……네."

필리가 대답하고 내게 물었다.

"루온 씨는 이제부터 어떡할 거예요?"

"나? 일단은 악마가 나타난 원인을 조사할 생각이야."

"그렇군요. ……저기, 루온 씨."

"왜?"

"여쭙고 싶은데…… 루온 씨, 혹시 어떤 특별한 힘을 얻거나, 그런 경험이 있으세요?"

……갑자기 뭐지? 라고 생각하며 전생한 것을 떠올렸다. 내게는 전생의 지식과 마력 증가라는 은혜가 있는데—.

"왜, 그렇게 생각해?"

반대로 묻자 필리가 심각한 표정을 지으며 대답했다.

"그, 제가 보기에, 루온 씨는 다른 사람과 조금 달라서……."

"달라?"

"마력의 질적인 차이, 라고 하면 될까요? 그, 커티 씨와 코리 씨는 제 말에 고개를 갸웃거렸지만요."

……내 마력이 남과 다르다는 것을 알아차린 모양이었다. 커티와 코리가 모른다면 현자의 핏줄과 관련된 건가?

필리는 현 단계에서는 자기 자신이 현자의 후예인지 모르는데, 전투를 통해 그 힘이 『각성』한 것은 틀림없어 보였다.

"……그게 강해질 힌트가 될 수도 있겠다고 생각한 거야?"

내 물음에 필리는 솔직하게 고개를 끄덕였다.

"네, 루온 씨의 힘에 관심을 가졌다고 할까…… 그 힘을 얻으면 지금보다 강해지지 않을까 해서……."

"마을이 이렇게 됐으니 초조해하는 거 이해해. 그래도 필리는 강해질 소질이 있어. 그러니까 자신을 믿고 나아가."

내 말에 필리가 놀랐는지 눈을 크게 떴다. 잠시 뒤, 그가 「네」라고 대답했다.

"자, 나는 잠깐 마을을 둘러보고 떠날게. 필리, 혹시 여행하다가 다시 만나면 잘 부탁해."

나는 가볍게 손을 들어 보이고 필리의 앞을 떠났다. 걸음을 떼자마자 넘어질 뻔한 건 비밀이다.

그의 모습이 보이지 않게 되자 유노가 물었다.

"현자의 후예는 루온의 힘을 알아차리는구나."

"……무슨 이유라도 있나?"

"조사해봐야 알지."

"그렇구나. ……근데 현자의 후예라고는 해도 인간에게 들키다니, 마족을 상대로도 괜찮을까?"

"만약 특이하다고 알아차려도 루온의 힘이 터무니없다는 걸 파악하지 않는 한은 괜찮지 않을까? 평범하게 있으면 문제없어."

그렇다면 다행이지만……. 나는 그늘에 숨었다. 다 타버린 집 그늘에서 근처에 아무도 없는 것을 확인하고 마법으로 거점에 있는 수납함 하나를 소환했다.

"뭐해?"

"마을에 마지막 지원."

유노의 질문에 대답하고 수납함에서 마대를 꺼냈다.

나무 열매 등을 넣는 그렇게 크지 않은 자루였다. 내용물을 확인한 뒤, 수납함을 송환하고 걸음을 뗐다. 목적지는 촌장이 있는 곳—.

"기다려."

뒤에서 목소리가 들렸다. 돌아보니 커티가 있었다.

"할 말이 있어."

"······악마와 전투한 거?"

눈앞에서 내 실력을 인식했다. 의문이 생기는 게 당연했다.

"악마를 일도양단할 정도의 힘······. 그만한 힘이 있으면 악마의 습격을 알아차렸을 때 대응할 수 있지 않았어?"

어딘지 힐문하는 듯한 태도······. 마을이 파괴당했으니 무리도 아니었다. 하지만 설명하려고 해도 시나리오 형편상 그랬다고 말해도 무슨 말인지 모를 테고, 납득하지 않을 터였다.

어떡하지······. 나는 잠깐 생각하고 입을 열었다.

"······분명 나는 악마를 무찌를 힘이 있어. 하지만 하늘에 있던 모든 악마를 요격하는 건 무리야."

커티는 침묵했다. 그래서 나는 말을 계속했다.

"솔직히 그 악마를 쓰러뜨리고 다른 놈들이 단숨에 몰려오지는 않을까 조마조마했을 정도야."

"······그래."

그녀는 짧게 대답했다. 동시에 미안한 표정을 지었다.

"미안해. 뭐랄까, 그······ 당신은 마을을 위해 행동해줬는데 화풀이하듯이 말해서."

"마을이 이런 참상을 겪었는데 당연하지."

내 대답에 커티가 다시 「미안해」라고 사과했다.

"이제부터 어떡할 거야?"

"뭔가 이변이 생긴 것 같으니까 조사해보려고. 미안하지만, 나도 마을을 떠나야 해."

"그래. 무탈한 여행을 기도할게."

……나는 잠시 망설이다가 커티에게 갖고 있던 자루를 건넸다.

"자, 받아."

"……뭐야?"

"안을 확인해 봐."

커티가 자루를 받아 열어보고 눈을 크게 떴다.

"이, 이건……."

"지금 내가 이 마을에 해줄 수 있는 건 이 정도야. 부흥 자금으로 써줘."

자루 안에는 희귀 금속— 오리하르콘이라는 마력을 품은 물질이 들어 있었다. 수행 시절에 상급 클래스 마물을 실컷 사냥해서 손에 넣은 것이다.

이 게임에는 미스릴이라든가 현자의 돌이라든가…… 전생 전에는 명칭으로만 존재한 전설의 물질이 실제로 있었다. 명칭만 같고 의미는 전혀 다를 가능성도 있지만, 오리하르콘은 미스릴과 현자의 돌처럼 전생에 이름으로만 있던 소재였다.

이 세계에서도 희귀한 소재로 그에 걸맞은 능력을 보유했다. 방어구에 합성하면 마법 방어력이 대폭 올랐다. 물리 방어력도 제법 높고, 합성 소재 중에는 최상위 능력을 갖췄다.

하지만 너무 강력해서 취급이 어려운 것도 사실이라 내 경우에는 내 마력을 저해하지 않는 정도로 방어구로 사용하는 정도였다. 그런 소재이니 만큼 가격도 상당해서 마대자루에 든 양이면 마을을 붕괴 전처럼 다시 세울 정도의 자금은 될 터였다.

"왜…… 아니, 이만한 양을 어디서?"

"그건 비밀로 해줘. 묻고 싶은 게 많겠지만……."

커티는 의문으로 가득한 표정이었으나, 이내—.

"……알았어. 언젠가 들을 수 있을까?"

"단언은 못 해."

"그래."

"미안."

"사과하지 마. 정말 고마워. 당신이 제공해준 돈만큼, 전부는 불가능할 수도 있지만…… 뭔가 해야지. 내가 도울 일이 있을까?"

그녀를 동료로 삼느냐 마냐, 인가. 나는 고개를 가로저었다.

"이 마을에 신세 많이 졌으니까, 부흥시켰으면 좋겠어. 커티는 거기에 협력해줘."

게임에서는 마을이 붕괴한 이후에도 이곳에 오면 커티를 동료로 삼을 수 있었다. ……그녀가 앞으로 주인공의 동료가 될지 어떨지는 모르지만, 그 가능성을 배제하지 않고 게임과 같은 장소에 있는 게 가장 자연스럽고 시나리오에 영향도 없으리라.

"그리고 혹시 악마나 마족과 싸우는 사람이 나타나 커티에게 협력을 부탁하면 함께 싸워줘."

커티가 이상하다는 표정을 지었다. 그런 거로 괜찮겠냐는 표정이었다.

"……알았어. 당신 말대로 할게."

커티가 승낙했다. 그러자 유노가 말했다.

"이 마을을 또 들를 수도 있으니까 그때는 맛있는 차를 부탁해."

"응, 알았어."

커티가 미소 지으며 대답했다. ─그렇게 나는 일단 문제없이 이벤트를 지났다.

"사후 관리까지 하고 대단한데?"

커티와 헤어진 뒤, 유노가 내게 말했다. 나는 쓴웃음밖에 짓지 못했다.

"악마가 습격할 줄 알았어. 사실은 막았어야 한다고 생각해."

"하지만 필리가 움직이지 않으면 큰일이었잖아. 희생자는 없었어. 부흥 자금도 건넸고. 충분하잖아."

"유노가 그렇게 말해주니 마음이 편하네. ……자, 이제 이 다음 말인데─."

그때, 사역마가 보고를 보냈다.

"……마을을 공격한 악마 같은 존재가 각지에 있어."

"그렇다는 건, 드디어 마왕이—."

"응, 마왕은 사역마로 발견하지 못했지만, 수많은 마물과 악마…… 그리고 마족이 대륙에 나타났어. 마왕이 나타난 게 분명해."

다른 사역마 한 마리가 무리를 발견했다. 목표는 틀림없이—.

"발크스 왕국으로 가자."

"습격이 시작됐어?"

"응. ……왕녀 일행을 구해야 해."

그 말에 유노가 작게 미소 지었다.

"왜?"

"납치된 공주님을 구하러 가는 상황만은 괜찮다 싶어서."

"……그런 좋은 이야기가 아니야."

나는 붕괴한 마을을 떠나 마법 주문을 외웠다. 고속이동 마법을 발동해 발크스 왕국 수도로 서둘렀다.

제5장 왕녀의 의지

필리 이벤트와 발크스 왕국 전투는 거의 동시에 진행됐다.

우리가 도착했을 때, 수도는 이미 공격을 받아 성벽 안에서 연기가 여럿 피어오르고 있었다.

우리는 식재료를 조달하려고 들렀던 산 위에서 수도를 내려다봤다. 예전에 본 아름다운 경관은 어디에도 없었다. 바람을 타고 온 사람들의 비명으로 마물들이 마을을 짓밟고 있다는 것을 알았다.

"……원래는 구해야겠지."

나는 수도를 바라보며 중얼거렸다.

"내 힘은 공격하는 마족을 무찌를 수 있어. 나라를 구하고, 왕에게 마족의 습격에 대비하라고 전달하고, 난 그들과 함께 싸우는 거지. 희생자를 최소한으로 하려면 이 방법이 제일이야."

"하지만 마왕을 무찌르지 못할 수도 있어."

오른쪽 어깨에 앉은 유노가 말했다. 그 말이 맞았다.

"5대 마족에게서 현자의 힘을 되찾지 않으면 마왕을 쓰러뜨리지 못해."

"······그래, 맞아."

"루온은 핀트 마을에서도 노심초사했지만, 마왕을 무찌르려면 어쩔 수 없잖아?"

"그렇게 생각해? 다른 방법이 있지 않았을까?"

"마족이 루온을 경계하면 마왕이 무슨 짓을 할지 모르잖아. 이 단계에서 마왕이 움직이면······ 그거야말로 대륙의 붕괴야. 이 이야기에 정답은 없어. 그리고—."

유노가 내 앞에 서서 분명히 말했다.

"이렇게 마왕이 나타난 이상, 한 사람의 희생자도 내지 않는 건 불가능해."

"······그러네."

결국, 무엇이 올바른 길인지는 나도 모른다. 단, 한 가지 말할 수 있는 것은 마왕을 무찌르려면 복잡한 절차가 필요하고 그 최단거리가 아마도 게임 시나리오라는 것.

적어도 5대 마족이 각지에 거점을 두기까지는 시나리오를 대폭 바꾸면 안 됐다. —지금부터 왕과 왕녀를 도울 거지만, 이것도 탄로 나지 않게 주의해야 했다.

"유노, 고마워. ······자, 도우러 가자."

"응. 샛길로 갈 거지?"

"맞아."

나는 대답하며 이동하기 시작했다. 동시에 머릿속으로 절차를 생각했다.

왕과 왕녀를 구하는 방법은 두 가지다. 하나는 정면 돌파. 다른 하나는 성에 있는 비밀 긴급탈출로를 거슬러 올라가는 방법이었다.

정면 돌파의 경우에는 들키면 위험하니 모습을 숨겨야 했다. 그런 마법은 두 종류가 있는데 단순히 투명해지는 마법과 주변과 기적에 동화해 상대방이 인식하지 못하게 하는 마법이 있었다. 게임에서 전자는 물리 공격이 듣지 않지만 마법 공격에 약하고, 후자는 공격당할 수 있지만, 회피율과 대미지가 배로 늘어나는 크리티컬율이 상승하는 메리트가 있었다.

전에 수행할 때, 이 두 가지 마법으로 상급 레벨의 마물을 속일 수 있었다. 마족에게도 통하는 것 같은데…… 성을 공격하는 마족은 간부 클래스. 내 기적을 느끼고 발견할 가능성이 없지 않았다.

그래서 강력한 마족과 악마를 만나지 않는 방법— 비밀 탈출로로 몰래 왕과 왕녀를 구하는 방식이 바람직했다.

"상황을 봤을 때 에이나 일행이 도망쳤을 가능성이 있어. 절대로 발견되지 않도록 마법으로 기적을 지우고 가능한 한 소리를 내지 않게 해야 해. 유노, 큰소리 내지 말아줘."

"물론이지."

성 뒤편에 있는, 산과 성 사이에 있는 숲— 마족들이 성과 마을에 공격을 집중하느라 주인공인 에이나는 그쪽으로 탈출할 수 있었다.

기적을 없애는 마법을 쓰며 산을 내려가 조심스럽게 숲속을 이동했다. 머지않아 탈출로 근처에 도착했을 때, 목소리가 들려왔다.

"막 도망친 것 같아."

"그런가 봐."

유노가 동의하자마자 사람이 나타났다. 우리는 수풀에 숨어 그들을 관찰했다.

수는 넷. 그중 둘은 전신 갑옷에 투구까지 써서 인상을 알 수 없었다. 다른 둘…… 남자와 여자는 얼굴이 보였고 낯이 익었다.

머리카락이 설 정도로 짧은 금발에 산적이 떠오르는 우락부락한 외모의 남자, 이름은 글라젠 다당르— 이 나라 기사단의 대장이었다.

그리고 다른 사람은…… 에이나였다. 갑옷을 입었으나 여기저기 손상됐다. 마족들과 싸웠으나 맞서지 못하고 왕의 명령으로 글라젠과 탈출하는 것이 시나리오 내용이었다.

"왕녀님……!"

에이나가 두 주먹을 불끈 쥐고 고개를 숙이며 분하게 중얼거렸다. 원래는 지금 당장에라도 돌아가 왕녀를 구하고 싶으리라. 하지만—

"이제 돌아가지 못해. 폐하께서 내게 너를 맡기셨다. 도망쳐야 해. 왕녀님은 무사할 거다. 그리고 단장님 쪽에서 애써 줄 거야……."

글라젠이 격려했다. 실제로는 단장 쪽도 마물의 맹공에 버티지 못하고 퇴각한다. 이런 광경을 보니 새삼 왕과 왕녀의 존재를 숨겨야겠다는 생각이 들었다.

만약 에이나가 마왕을 무찌를 인물일 시, 왕과 왕녀가 탈출했다고 알리면 시나리오가 크게 뒤틀릴 가능성이 있었다. 왕과 왕녀를 구하고 위장을 해서 죽은 걸로 처리할 작정인데, 그런 사정은 에이나 쪽에게 흘리지 않는 편이 나을 것 같았다.

이윽고 기사들은 분해하며 숲속을 이동하기 시작했다. 에이나는 영토 내의 마을로 가서 다른 기사들과 합류한다. 그리고 그녀의 이야기가 시작된다.

그들이 사라진 뒤, 나는 아무 망설임 없이 에이나 일행이 서 있던 곳으로 갔다.

"길이 어디 있어?"

유노가 물었다. 나는 어느 것을 가리켰다.

숲속에 바위 하나가 있었다. 너비는 성인 여럿이 팔을 펼친 정도인데 높이는 주위에 자란 나무의 3분의 1 정도라 눈에 잘 띄지 않았다. 나는 몸을 굽혀 조사했다.

"음, 분명 땅 근처에 장치가……."

일단 바위 표면을 더듬었다. 잠시 뒤, 바위와 감촉이 다른 것이 손에 닿았다.

"오, 빙고."

그것을 꾹 밀었다. 이 바위는 일부분이 마법이나 무언가로 만든 특수한 소재로 이루어졌다. 그 부분을 건드리면 장치가 작동했다.

끼기긱, 삐걱거리는 소리를 내며 땅이 치솟아 지하로 향하는 입구가 나타났다.

"좋아. 다음은……."

나는 주문을 외워 수납함을 불러냈다. 안에는 잡화가 난잡하게 모여 있었는데…… 그중에서 손바닥에 들어올 만한 크기의 꾸러미를 꺼내 주머니에 넣고 수납함을 돌려보냈다. 내용물은 왕과 왕녀를 구하기 위해 준비한 것이다.

"자, 가자."

"구출 작전 개시!"

유노의 말과 함께 비밀 통로로 들어갔다. 지금부터가 실전이었다.

이전에 수행했던 던전처럼 이 통로도 내부 구조가 게임보다 복잡해졌을 터. 하지만 낯익은 곳도 있으니 그것을 기억에서 끄집어내며 가기로 했다.

마족과 마물은 없을 것 같지만, 만약을 위해 희미하게 빛나는 빛을 만들고 모습을 지운 상태로 앞으로 나갔다. 돌로 만든 통로의 서늘한 공기에 자연스레 몸에 힘이 들어갔다.

예전에 왕녀와 만났을 때를 떠올렸다. 백성에 대해 말하는 소필리아 왕녀. 그리고 악수를 건네며 웃는 그녀.

왕녀는 이 왕국에 필요한 존재다. ……구하겠다고 결심했을 때부터 그 생각은 변하지 않았다.

앞으로 나아갈 때마다 조금씩 긴장감이 더해졌다. 들키면 어떻게 될지 모르지만…… 소필리아 왕녀를 떠올리며 나아갔다.

이내 눈에 익은, 좌우로 갈라진 분기점에 도착했다. 나는 망설이지 않고 오른쪽 길로 갔다.

드디어……. 마음속으로 중얼거렸을 때, 마침내 위로 향하는 계단을 발견했다. 나는 심호흡하고 출구로 조금씩 다가갔다.

"루온, 출구가 가까워진 것 같은데?"

주머니에 숨은 유노가 작게 말했다. 나는 고개를 끄덕였다.

"응. 왕과 왕녀가 갇힌 감옥이 가까워."

계단을 오르자 눈앞에 철문이 있었다. 지하 창고로 이어지는 문이었다. 반대쪽은 평범한 석벽처럼 위장했을 것이다.

기척을 없애긴 했으나 문을 여는 소리와 광경은 속일 수 없었다. 마물이나 마족과 마주치면 위험하니 만약을 위해 귀를 쫑긋 세웠다. 에이나가 탈출한 뒤에는 왕과 왕녀와 관련된 이벤트가 없다. 지금부터는 일일이 상황을 파악하며 일을 진행해야 했다.

"소리는…… 안 나는데."

심호흡을 한 번 하고 천천히 문을 열었다. 조금 소리가 났지만, 창고에는 마물이 없어서 문제없었다.

정면에 창고를 나가는 목제 문이 있었다. 나는 소리를 죽이고 그쪽으로 다가갔다. —그때, 철컹하고 쇠창살이 닫히는 소리가 났다. 그리고 뭔가 대화하는 것 같은 소리가 들렸고…… 이내 구둣발 소리가 났다.

"설마, 지금 그거…… 투옥된 소리?"

"아니, 아니라고 봐."

유노의 말에 고개를 저었다.

"감옥으로 가는 길은 쇠창살로 막혀있어. 우리가 있는 창고는 그 근처에 있으니까 왕과 왕녀를 투옥하고 위로 돌아가던 마족이 낸 소리가 아닐까?"

나는 문으로 다가가 머릿속으로 할 일을 정리했다.

만약 발각될 경우, 마주친 마족이나 마물은 쓰러뜨려야 했다. 내 기량이라면 일격이지만, 그놈들이 쓰러진 게 알려지면 누군가가 침입했다고 마족들이 확신할 터였다. 그것은 시나리오를 바꿀 위험성이 있으니 발각되지 않으면 좋겠다.

"괜찮아?"

유노가 물었다. 나는 그녀의 말에 고개를 끄덕인 뒤, 한 번 더 심호흡하고 귀를 기울였다. 대화 같은 것도 안 들리고, 문제없겠다고 판단한 뒤 천천히 문을 열었다.

통로를 확인했다. 문에서 봤을 때 오른쪽은 막다른 길이고 왼쪽은 T자형 길이 있었다. 지금은 목소리가 들리거나 기척이 느껴지지는 않았다.

마음을 다잡고 복도로 나갔다. 소리를 내지 않게 신중히 이동해 모퉁이에 도착했다. 머리를 내밀어 좌우를 확인하자 T자형 길 왼쪽에는 계단, 오른쪽에 간수 초소로 가는 문이 있었고, 그 너머에는 감옥으로 통하는 쇠창살 문이 있었다.

"적은 없네."

유노가 말했다. 나는 아까 수납함에서 꺼낸 꾸러미를 들었다.

내용물은 수면 가루. 단, 인간에게는 효과가 없었다. 마물과 악마에게만 통하는 것이었다. 게임에도 있는 아이템으로 아주 조금만 마셔도 마물들을 깊은 잠에 빠지게 했다.

나는 일단 기척을 지우는 마법을 해제하고 바람 마법을 사용했다.

"휘몰아쳐— 바람이여."

바람을 일으키는 마법이었다. 돌풍을 일으킬 수도 있지만, 이번에는 산들바람 정도였다. 이 바람으로 수면 가루를 날렸다.

과연—. 잠시 뒤, 초소로 가는 문 안쪽에서 무슨 소리가 났다. 안에 있던 마물이나 악마가 보기 좋게 잠든 모양이었다. 수면 가루가 문틈 사이로 들어간 결과였다. .

좀 더 기다리자 이번에는 쇠창살 문 안쪽에서 소리가 났다.

"성공했어."

"응."

나는 다시 기척을 지우는 마법을 발동했다. 만약 감옥에 감시 카메라 역할을 하는 도구가 있으면 보초가 쓰러진 것을 보고 마족이나 마물이 올 텐데…… 한동안 기다려두 바뀌는 것은 없었다.

"가자."

계단 쪽을 경계하며 걸었다.

먼저 초소를 확인했다. 안에는 인간 같은 몸을 가진 검은 악마……『레서 데몬』이 있었다.

이 악마는 능력에 따라 몸 색깔이 다르다. 아래에서부터 파랑, 검정, 초록, 빨강, 구리색 순서로 다섯 종류가 있다. 검정은 아래에서 두 번째이지만, 초반에 나오는 마물과 비교하면 능력이 월등히 높았다.

나라면 일격에 보내지만…… 아무튼 지금은 보기 좋게 잠들었다. 나는 열쇠를 빌려 감옥으로 통하는 쇠창살 문을 열었다.

그리고 그 앞에 있는 아래로 가는 계단을 말없이 내려갔다. 그 뒤, 오른쪽으로 모퉁이를 돌자 석조 감옥이 줄지어 있었다.

먼저 초소에 있던 레서 데몬과 같은 종 두 마리가 쓰러져 있는 것이 보였다. 감옥 안은 매우 조용했다. ……왕과 왕녀 외에 갇힌 사람은 없는 듯했다.

주위를 둘러보며 마법을 풀었다. 발소리가 나지 않게 악마 가 쓰러진 곳으로 다가가— 갇힌 왕과 왕녀가 있는 곳에 도 착했다.

"……귀하는—."

법의를 입은 왕이 나를 보고 눈을 동그랗게 떴다.

"오랜만에 뵙습니다. ……클로디우스 폐하."

내 말을 듣고 왕이 조용히 고개를 끄덕였다. 나는 왕녀에 게로 시선을 옮겼다.

"루온, 님……."

왕녀는 망연해했다. 예전에 내가 도와줬을 때처럼 외투를 입고 있었다. 시나리오에서는 에이나와 밖으로 나갔을 때 수도가 습격당하니, 그녀는 외출했을 때의 모습 그대로 투 옥됐으리라. 마족과 맞섰는지 외투 여기저기에 혈흔이 보였 고 검은 당연히 몰수당했다.

"왜 그대가 이곳에……. 여기 왔다는 건 비밀 통로를 지나 온 건가?"

왕의 의문은 지당했다. 어떻게 비밀 통로를 사용했는지도 신기할 것이다.

"……어떤 분의 의뢰로, 도우러 왔습니다."

나는 미리 준비한 말을 왕에게 전달했다. 어떻게 설명할지는 생각해놓았다.

"이 나라의 기사였던 이의 의뢰입니다."

물론 거짓말이었다. 왕이 확실하게 납득할 이유를 말했을 뿐이었다.

기사란, 과거에 습격을 고려해 조언했던 노령의 기사로, 만약 이유를 물어도 나라가 위기에 빠지면 왕을 구해달라고 의뢰했다고 하면 됐다.

왕은 내 말을 듣고 그 기사를 상상했는지 눈을 크게 떴다.

"그런가……. 루온 공은 그 사람과 아는 사이였나?"

"일로 조금 교류했습니다. 그 뒤, 만약 나라에 위기가 생기면 부탁한다고 특별히 탈출로를 가르쳐줘서 여기 왔습니다."

"그런가. ……미안하네."

"아뇨. 자, 지금은 일단 탈출하죠."

"……허나."

왕은 망설였다. 게임에서 왕은 붙잡히는 대신 백성의 무사 안전을 마족과 약속했다. 하지만 그것은 거짓말이었고, 마족들은 왕을 사로잡고도 공격을 멈추지 않았다. 그리고 왕은 아사…… 너무 비참했다.

두 사람은 죽음을 각오한 게 틀림없었다. 너무나 슬픈 결단이지만, 백성을 구하기 위해서는 이 방법밖에 없다고 생각한 결과이리라.

"우리가 도망치면 마족이 어떻게 움직일지 모르네."

왕이 말했다. ―나도 그냥 도망치면 위험하다고 생각했다. 그래서 제안했다.

"마법으로 두 분의 더미를 만들겠습니다."

"뭐라?"

"마족의 눈도 속일 수 있을 정도로 더미가 굉장히 정교합니다. 더미가 자살한 것처럼 위장하고 두 분은 탈출하시는 겁니다."

―더미 마법도 게임에서 착안한 것이었다. 다른 주인공의 동료 마술사가 마족 간부에게 살해당하나, 사실 그는 더미 마법을 쓰고 살아있었다는 이벤트가 있었다.

마법 명칭도 언급되어 있어서, 나는 그것을 조사하고 익혔다. 간부도 속인 마법이니 당장 들키지는 않을 것이다.

"이 나라는 아직 두 분이 필요합니다. 부디⋯⋯."

"⋯⋯그런가."

왕은 잠깐 고개를 숙였다.

"알았네. ⋯⋯귀하의 말을 따르지."

왕이 승낙했다. 이어서 왕녀를 보자 그녀도 동의하는 기색을 보였다.

그들과 접촉하고 도망칠 방법은 갖췄다. ⋯⋯그러나 작전은 아직 끝나지 않았다. 나는 마음속으로 기합을 넣고 잠금 해제 마법을 사용해 감옥에서 그들을 꺼냈다.

그리고 더미 마법을 썼다. 놀라울 정도로 정교하게 두 사람을 본떴다. 그리고 숨겨놓은 단검으로 자살로 위장하고 성을 떠나기 위해 나아가기 시작했다.

"앞장서겠습니다. 비밀 통로에는 마물이 없었지만, 만약을 위해 경계를 부탁드립니다."

왕과 왕녀가 고개를 끄덕이는 것을 보고 통로로 들어갔다. 그대로 왔던 길을 되돌아왔다. 결국, 마지막까지 미물과 마주치지 않고 숲에 도착했다.

더미 마법을 썼으니 문제없겠지만…… 만약을 위해 마족들이 시나리오대로 움직이는지 관찰해야 했다. 사역마 한 마리에게 마법으로 지시해서 감시시키기로 했다.

"어떻게 데리고 나오는 건 성공했지만, 지금부터가 큰일이네."

지금까지 침묵을 지키던 유노가 작게 말했다. 이것은 완전히 시나리오를 벗어난 일이었다. 그러니까 능숙하게 대처해야 했다. 물론 방법은 생각해놓았다.

먼저 상황을 듣기 위해 원격 조작하고 있는 다른 사역마를 불렀다. 한 인물의 동향을 찾는 중인데…… 그 사람이 다가오고 있다는 보고가 돌아왔다.

좋아. ……승리포즈를 취하고 싶은 충동을 억누르며 왕에게 진언했다.

"폐하, 이대로 수도를 떠나는 게 좋다고 생각합니다. …… 일단 인근 마을로 가시죠. 그 복장으로는 곤란하실 테니 잠시만 기다려주십시오."

수납함을 소환해 회색 외투를 꺼냈다.

"소환 마법을 응용했나."

왕이 말했다. 나는 작게 고개를 끄덕였다.

"네. 이런 마법을 쓰는 지인이 있는데 편리해 보여서 보고 배웠습니다."

적당히 얼버무리며 외투를 건넸다. 왕은 「고맙네」라고 중얼거린 뒤, 법의를 벗고 외투를 걸쳤다.

"법의는 귀하가 맡아주게."

"알겠습니다."

나는 대답하고 수납함을 돌려보냈다. 외투로 갈아입기만 했는데도 겉모습이 많이 달라져서 속일 수 있겠다.

"마을로 간 뒤에는 어떡할 셈인가."

"일단 몸을 숨기는 게 우선입니다. 폐하의 생존이 알려지면 그때는 정말 위험합니다."

마을 방향을 손으로 가리키자 왕과 왕녀가 걸음을 뗐다.

수풀을 헤치는 소리만이 들렸다……. 나는 사역마를 불러 관찰대상의 상황을 살피며 숲을 걸었다. 숲을 나온 직후가 시기상, 연출적으로도 좋을 것 같은데…… 아무래도 상대방 쪽이 더 빨랐던 모양이다.

숲 밖에서 갑옷이 부딪히는 금속음이 들려왔다. 왕과 왕녀는 순간 경계했으나 나는 소리가 들리는 쪽으로 다가갔다.

이윽고 숲을 나오자…… 내 뒤를 따라온 왕이 소리를 높였다.

"그대는……!"

단 한 명의, 기사가 있었다. 성에 초대받았을 때 만난…… 외모도 그때와 똑같은 기사 포레였다.

"폐하……!"

포레가 왕과 왕녀를 보고 얼른 무릎을 꿇으려 하자 왕이 말렸다.

"멈추게, 그대로도 좋다. 포레, 이곳에 온 이유는?"

"넷! 저는 폐하가 붙잡히신 것을 알고 탈출로로 구출하고자 움직이고 있었습니다."

"홀로?"

"네. 부대원은 다치거나 이미……. 원군을 기다릴지 망설였습니다만, 한시라도 빨리 구출해야 한다고 생각해 홀로—."

두 사람이 대화하는 사이, 생각났다. 포레는 게임에서도 똑같이 행동했다. 하지만 탈환에는 실패……. 혼자이기도 했으니, 솔직히 어쩔 수 없는 일이었다.

이윽고 왕과 포레는 대화를 끝냈다. 그 후 포레가 내게 시선을 향했다.

"감사하네……. 루온 공."

"아뇨, 저는 의뢰를 따랐을 뿐입니다."

예를 표하는 그를 손으로 말리고— 나는 기사에게 진언했다.

"기사 포레. 폐하를 구출하는 것은 성공했습니다. ……하지만 폐하께서 건재하심을 마족이 알게 되면 호위도 적은 이 상황에서, 그때는 정말로 위기 상황에 부닥칠 겁니다."

내 말에 포레가 침통한 표정을 지었다.

"……마족이 습격했을 때, 완벽하지는 않지만 요격 준비는 했었네. 하지만 놈들은 손쉽게 짓밟았어……."

"힘이 부족한 것은 명백합니다. ……지금은 살아계신다는 사실도 숨겨야 합니다."

─이것이 시나리오를 바꾸지 않기 위한 계획. 왕과 왕녀는 잠복해야 한다고 진언해서 이야기 후반까지 숨어있게 한다.

"현재, 마족이 대륙 각지를 공격하고 있습니다. ……일단은 힘을 모아야 합니다. 다시 말씀드리지만, 만약 폐하가 건재하심이 알려지면─."

"음, 나도 그 점은 이해하네."

왕이 말했다. 그리고 포레를 바라봤다.

"반격할 기회를 기다려야 하겠지. ……주변 제국이 어떻게 되었는지 정보를 모으며 때를 기다린다."

"네. ……하지만 반격이라 하심은 언제─."

"그것에 관해서도 한 가지 제안이 있습니다."

내 말에 시선이 집중됐다. ……긴장 상태에 빠지면서도 말은 제대로 했다.

"주변 제국도 현재, 마족들의 공격을 받고 있을 겁니다.

……이 나라의 기사들만 움직여봤자 필시 전멸할 테죠. 앞으로 정보를 수집하고 다른 나라도 반격할 수 있게 되면 동시에 움직여야 한다고 생각합니다."

—이렇게 말한 데는 근거가 있었다. 시나리오 초기에 마족들이 북쪽에서 공격하는데, 5대 마족 중 네 마리를 무찌르게 되면 남부에서 대군이 쳐들어간다. 인간 쪽도 힘을 결집해서 대항하는 것이다.

그때가 오면 어느 주인공이 마왕을 무찌를지 알 수 있을 테고, 왕이 노려질 가능성도 줄어들리라. 살아있다고 공표해도 문제없고, 무엇보다 사기가 오른다.

"타국 기사단과 연계하고 모든 준비가 된 단계에서 반격해야 합니다. 그 정도는 해야 지금의 마족의 기세에 저항할 수 있습니다."

"음…… 분하지만, 그러는 수밖에 없겠군."

왕의 기준으로 모든 준비가 된 단계가 어느 정도인지 조금 신경 쓰이지만…… 조만간은 아닐 터였다.

에이나를 주인공으로 플레이할 경우, 타국 기사단에 관한 정보가 나온다. 그녀는 일단 마족들과 대항하기 위해 타국 기사단에게 원군을 요청하나, 대부분이 들은 척도 안 하거나 인원이 너무 적어서 협력이 어렵다고 거절해 어려운 상황이었다.

그래서 왕과 왕녀도 움직이지 못할 테니 이런 제안을 했다. 그들의 동향은 적당히 사역마를 이용해서 관찰해야 했다. 행동할 타이밍이 오면 간언하는 것도 하나의 방법이다. 귀찮지만, 원래 죽었을 인물을 구했으니 해야 했다.

"폐하…… 우선 이동을."

그때, 포레가 말했다.

"그 복장이라면 마을에서도 자연스럽게 행동하실 수 있을 겁니다. 말을 준비하겠습니다."

"알았네."

"루온 공의 말대로 한동안은 힘을 모으기 위해 숨어야 합니다. ……제 형님이 보유한 별장이 있습니다. 우선 그곳으로 가시지요."

"……음."

왕이 고개를 끄덕였다. ―좋아, 예상한 장소였다. 포레는 왕을 구출하는 데 실패한 후, 별장에 잠복했다. 그리고 시나리오 후반에는 독자적으로 움직였다. 다만 에이나가 그곳에 들를 가능성도 있으니 한 번 더 못 박아두자.

"기사 포레. 숨을 장소는 도시에서만 벗어나면 괜찮다고 봅니다. 그런데…… 불쾌해 하실 수도 있습니다만, 이 정도로 열세이니 기사 중에 반역자가 나올지도 모릅니다."

"음, 확실히 그렇군."

"마족을 안내하는 사람이 나올지도 모르니, 당장은 동료에게도 폐하가 살아계신 것을 숨기는 게 나을 것 같습니다.

……아까 말한 대로 타국 기사들이 반격할 수 있을 만큼 힘을 되찾을 때까지 숨어있지 않으면 위험할 거예요."

"그렇군."

왕도 동의하고 포레를 봤다.

"분하지만, 지금은 도망쳐야 하네."

"폐하……."

"포레. 몹시 어려운…… 터무니없는 전투가 시작되려 하고 있네. 초조한 나날이 이어지겠지만, 따라와 주겠는가?"

"물론입니다."

포레가 허리를 숙였다. 일단은 괜찮겠다.

혹시 무슨 일이 있으면 그때마다 대응해야 하는데…… 왕이 전부 다 승낙하듯이 나와 시선을 맞추고 작게 고개를 끄덕였다.

목적은 달성했다. 이제 왕과 왕녀를 포레가 말한 은신처까지 호위하면 된다고 생각하던 때였다.

"아버님."

침묵을 지키던 소필리아 왕녀가 갑자기 말문을 열었다. 왕은 바로 돌아봤다.

"왜 그러느냐."

"저는…… 오더 님이 계신 곳으로 가고 싶습니다."

갑작스러운 말에 왕과 포레가 눈을 동그랗게 떴다.

나도 내심 놀랐다. ……어? 잠깐만.

"예상 못 한 말이야?"

주머니에서 유노가 말했다. 내 표정을 보고 알았나 보다.

"소필리아? 왜 그러느냐."

왕이 재차 묻자 왕녀가 강한 의지를 담은 눈으로 주장했다.

"반격을 위해…… 저도 힘을 보태고 싶습니다. 마왕을 봉인한 현자의 후예로서, 현 상황을 딛고 일어서지 않으면 백성을 볼 면목이 없습니다."

그녀 나름대로 생각한 결과인가……. 백성을 생각하며 검을 든 그녀로서는 오히려 당연한 주장이었다.

하지만 내게는 좋지 못한 전개였다.

오더라는 이름은 들어보지 못했다. ……아니, 들어봤나? 아무튼 지금은 생각나지 않는 수준의 인물이지만, 말투를 보니 어떤 가르침을 준 사람인 것 같았다.

"아버님께서는 이대로 함께 가길 바라시겠지요. 하지만 저는 마물이나 악마와 싸우기 위해 검을 배우고 마법을 배웠습니다. 그저 숨어서 때를 기다리는 것은, 저 자신이 허락 못 합니다."

왕녀의 말에 왕과 포레가 서로를 마주 봤다. —이 자리에는 나를 포함해 네 명이 있었다. 아무리 그래도 왕녀를 단독으로 행동하게 할 수는 없으니 필연적으로 누군가가 함께 가야 할 텐데…… 포레는 무리였다.

그렇다면— 여러 생각을 하는 동안, 왕이 딸에게 말했다.

"소필리아, 허나—."

"아버님, 부탁드립니다."

간청— 의지가 굳건했다. 하지만 왕도 왕녀를 단독 행동시킬 수는 없을 터. 아무리 그래도 이 부탁은 거절할 줄 알았다. 그러나—.

"……옛날부터 소피아는 고집이 셌지."

왕이 애칭으로 그녀를 부르기 시작했다. ……저기요, 상황이 왠지 이상하게 흘러가는데?

"마족이 습격하기 전, 에이나를 데리고 사냥을 나간 것도 무단으로 나갔었지."

"그, 그건……."

"안다. 마물이 나타난 것을 감지했기 때문이지?"

그 말에 왕녀가 어깨를 움찔했다. 정곡을 찔렀다.

하지만 그렇다고 해서— 나는 왕녀에 대해 언급하려고 했으나 몸이 움직이지 않았다. 뭐랄까, 끼어들 분위기가 아니었다.

"……소피아."

"네."

"무슨 일이 있어도, 가겠다는 거니?"

"네. 물론 왕녀 신분은 숨기겠습니다. 저는 아직 민중과 접촉한 적이 없으니 괜찮으리라 생각합니다."

"포레, 어떻게 생각하나?"

"에이나와 부딪치지 않으면 문제없을 테지요……. 저희와 함께 움직이는 게 가장 좋다고 생각합니다만, 왕녀님이 한 번 말을 꺼내면 굽히지 않는다는 걸 폐하도 아시지 않습니까. 지금은 설득하더라도 언젠가 행동에 나설 겁니다."

그 의견에 왕은 쓴웃음 지었다.

"……흠, 너무 말괄량이로 키웠나 보군."

"아버님—."

"하지만 소피아는 자신이 왕녀라는 자각이 있다. 나라를 위해 싸운다는 것도 이해해. 왕족이니 경솔한 행동을 하지 않길 바라지만, 내게는 소피아를 막을 힘이 없네."

잠깐만. 말려달라고 생각한 그때, 왕이 내게 얼굴을 향했다.

"단, 소피아. 혼자서는 안 된다. ……루온 공."

"아, 네."

"목숨을 구해줬는데 이런 의뢰를 해서 미안하네만…… 부탁을 들어주게. 내 딸 소필리아를, 나그레이트 마을에 있는 오더라는 사람의 저택까지 호위해주지 않겠는가."

여기서 내게 화살을 돌리다니……. 왕의 호위가 포레뿐이니, 이렇게 되는 게 이상하진 않지만…… 함께 마을로 가서 기사와 합류한 뒤에 왕녀를 오더라는 사람의 거처로 보낸다든가— 아니, 그러면 왕의 생존 사실이 퍼지잖아.

"……그, 저로, 괜찮으십니까?"

확인하자 왕이 수긍했다.

"나를 돕고 소피아는 두 번이나 목숨을 구해줬다. ……이 이상, 신용하지 않을 수가 없네."

—왕이 나를 보는 눈에 신뢰와는 다른 「무언가」가 담겨있었다. 예전에 말한 직감인가.

"……폐하께서는—."

나는 의문을 던졌다.

"이런 일이 일어날 것을 예견하고…… 저와 연관되신 겁니까?"

왕은 살짝 눈을 가늘게 뜨고 대답했다.

"그렇지 않아. 하지만 그때 루온 공과 만나고…… 예감하긴 했으나 그 이상의 이유가 있었네."

"이유?"

내가 되묻자 왕이 고개를 끄덕였다.

"귀하의 안에 잠든 힘…… 그 힘에 이끌렸다. 다른 사람과 조금 다른 것이…… 매우 마음에 걸렸고 강한 흥미를 느꼈네."

왕이 필리와 같은 말을 했다. 역시 현자의 후예는 그런 힘을 가졌고, 왕은 힘을 보고 나를 성에 머물게 했다는 건가.

"식사 자리에서 자세히 말하지 않은 것은 섣불리 언급하면 부담이 될 거라 생각했을 뿐이네. 이렇게 될 줄은 상상도 하지 못했어."

왕은 거기까지 말하고 내게 다시 의뢰했다.

"루온 공. 짧은 기간이었으나 귀하가 소피아와 친분을 쌓은 것을 아네. 그러니 맡기겠네. 부탁하네."

왕의 부탁에 나는 말을 잃었다.

일단 머릿속을 정리했다. 목적지는 나그레이트라는 마을. 게임의 기억을 끄집어냈으나 짐작 가는 것이 없었다. 대륙에는 게임에 나오지 않은 마을과 도시가 있었다. 나그레이트도 그중 하나일 터였다.

오더라는 인물도 안 나오는데…… 아무튼 왕녀가 불확정 요소인 것은 분명했고 내버려 두면 시나리오 붕괴 위험성이 높아졌다.

난처하지만, 이건 내가 초래한 결과이니 마지막까지 책임져야 했다.

선택지는 하나였다.

"……신용해주시다니 크나큰 영광입니다. 이 의뢰, 달성해 보이겠습니다."

내가 할 일은 오더라는 인물에게 왕녀의 일을 외부로 흘리지 말라고 못 박는 것이라고 결론지었다.

왕은 재차 「부탁한다」고 했다. 포레는 나를 보고 조금 불안해했으나…… 왕의 결단을 따르는지 아무 말 하지 않았다.

그리고 왕은 내게 의뢰 내용과 보수를 말하고 — 상황 때문에 나중에 지불하기로 했지만 — 포레와 함께 목적지로 이동했다.

나는 그들을 배웅했다. ……잠시 침묵하고 있으니 왕녀가 머리를 숙였다.

"죄송합니다. 신세 지겠습니다."

왕녀는 머리를 들고 나와 눈을 마주쳤다. 변함없는 기품—왕녀가 내뿜는 아우라는 얼굴을 피할 여유도 주지 않았다.

게다가 처음 봤을 때처럼 지금도 사라질 듯이 덧없었다. ……어떻게 말을 걸어야 할지 망설이던 때, 주머니에서 유노가 모습을 드러냈다.

"왕녀님, 다친 데는?"

"아, 그게. 일단 지혈은 했습니다."

그녀의 말을 듣고 나는 겨우 입을 열었다.

"하지만 다치지 않았습니까? 그럼 치료해야죠. 환부를 보여주세요."

내 말에 소필리아 왕녀는 먼저 왼팔을 걷었다. 확실히 출혈은 멈췄으나 하얗고 아름다운 팔에 생긴 상처가 너무 아파 보였다. 그 외에도 어깨와 다리에 약간 상처가 났다.

나는 주문을 외워 그녀를 치료했다. —환부를 볼 때마다 고운 피부에 아주 조금 동요한 것은 비밀이다.

중간에 눈이 마주치자 왕녀가 몹시 미안해했다.

"이렇게까지 해주시다니, 정말 감사합니다. ……루온 님."

"아, 아뇨. 그…… 당연한 일을 했을 뿐입니다."

나는 미소를 보이며 대답했다. 그 뒤, 치료를 끝내고 왕녀에게 다시 말했다.

"왕녀님을 목숨을 바쳐서라도 지키겠습니다. 그리고, 목적지 말입니다만……."

"마을 이름, 처음 들어보세요?"

"여행하다가 근처를 지나친 적은 있을지도 모릅니다만……."

"그럼 제가 안내하겠습니다. 가는 동안 잘 부탁드립니다."

"네. ……그럼 움직일까요? 일단 가까운 마을로 가시죠. 가능하면 거기서 여행 준비도 하고요."

"알겠습니다."

그녀가 승낙하고 나와 함께 걸었다.

"괜찮아?"

걸음을 떼자마자 유노가 왕녀에게 물었다. 그녀는 나라에서 쫓겨난 처지이니 정신적으로 상당한 충격을 받았어도 이상하지 않았다.

"괜찮습니다. 그보다 나약한 소리를 하고 있을 수는 없으니까요."

결연한 말이었다. 슬픔보다 국가 탈환이 머리에 가득했다. 망연자실한 것보다는 낫지만…… 언젠가 반동이 올 수도 있었다.

"왕녀님도 루온을 보고 폐하처럼 느꼈어?"

갑자기 유노가 물었다. 소필리아 왕녀는 고개를 가로저었다.

"아뇨. ……하지만 지금은 아버님의 말뜻을 알겠습니다."

"그건, 즉—."

"지금의 제 눈에는 루온 님에게 무언가…… 힘이 깃든 것 처럼 보입니다."

보이게 됐나. 수행의 성과일까? 습격당했기 때문일까?

"아, 그리고……."

소필리아 왕녀가 갑자기 내게로 얼굴을 돌렸다.

"저는 소피아라고 불러주세요. 이름으로 부르셔도 괜찮습 니다."

"네……?"

"존댓말도 이상합니다. 제가 루온 님의 종자인 척 하는 것 이 남이 보기에도 위화감이 없을 것 같으니 그렇게 하시죠."

혼자서 팍팍 결정했다. 내심 엄청나게 동요했지만, 거부할 만한 이유가 없었다.

"……알겠습니다. 아니, 그게 아니라…… 알았어."

"잘 부탁드립니다."

나를 우러러보는 시선. 그저 고개를 끄덕일 수밖에 없었다.

이렇게 나는 소필리아 왕녀— 소피아와 함께 수도를 떠났다.

이윽고 왕과 포레가 떠난 길과 반대쪽에 있는 마을에 도 착했다. 언제 마물이 습격해도 이상하지 않은 상황. 수도에 서 도망친 기사와 병사도 있어서 나는 소피아가 들키지 않 게 배려하며 이동했다.

마을 여관이 장사하고 있었고, 운이 좋게도 방을 빌렸다.

"어디 보자……."

나는 작게 한숨을 쉬고 홀로 생각했다. 아무리 그래도 같은 방을 쓸 수는 없어서 상황적으로도 사치스럽지만, 방을 두 개 빌렸다. 밖에서 우왕좌왕하는 사람들을 보며 유노와 현재 상황을 정리했다.

"일단 왕녀의 존재가 탄로되지 않게 움직여야 하는데…… 일반인에게는 얼굴이 알려지지 않았으니까 기사에게만 들키지 않으면 문제없을 거야."

"만약 지적해도 그냥 다른 사람이라고 하면 어찌어찌 되지 않을까?"

유노가 방 안을 날아다녔다.

"마족에게 들킬 가능성은?"

"그게 문제지……. 마족은 사람을 겉모습이 아니라 마력으로 판단해. 만약 발크스 왕국을 침략한 마족과 마주치면 왕녀의 존재가 알려져."

현재 그 마족은 수도에 있으니 가까이 가지 않으면 당장은 문제없을 텐데…… 그녀에게 싸울 의지가 있다면 뭔가 대책을 세워야 했다.

"있지, 루온. 내일 마족이 이 마을을 공격할 가능성은?"

"……게임에서는 수도가 제압당하고 다른 마을은 무사했어. 군대가 마족을 막은 덕분이지. 하지만 머지않아 패배하고, 악마가 이 마을도 감시해. 일단 얌전히 있으면 공격하지 않을 거야."

무력 지배…… 이 마을도 머지않아 그리되리라.

"오더라는 사람에게 왕녀를 맡길 때, 마족의 위협을 주의하라고 해야겠어. 때에 따라서는 나라를 떠나라는 조언도 해야지."

"들키면 위험하니까."

"응. 그리고 왕녀도 무장해야 안전해. 무기를 주고 복장도 조금 바꿔야겠어."

"루온이 가진 걸 줄 거야?"

"무기는 그래도 되는데 옷은 마을을 돌아봐야겠지. 그런데 유노."

"응, 왜?"

"내가 나가 있는 동안, 왕녀와 함께 있어 줄래?"

"좋아."

유노가 시원하게 승낙했다. 나는 방을 나와 왕녀가 있는 옆방 문을 두드렸다.

"네."

신발 소리가 들렸다. 잠시 뒤, 그녀가 문을 열었다.

"루온 님…… 무슨 일이십니까?"

"앞으로 마을로 가는 동안 마물과 마주칠 위험성이 있습니다."

"루온 님, 말투가 원래대로 돌아왔어요."

생각지 못한 지적— 아니, 이건 어쩔 수 없잖아.

하지만 고쳐야겠지. 그녀가 종자인 척하는데, 내 말투 때문에 의심받으면 곤란했다. 익숙해져야지.

"……음, 내가 보호할 거지만 만약을 위해 검을 줄게. 가능하면 장비도 갖추자."

내 말에 소피아가 내 눈을 보며 말했다.

"저기, 돈은 어떻게?"

"그것도 포함해서 나중에 보수로 받을게. 내가 기사는 아니지만, 폐하와 당신에게 충성을 맹세한 사람이니까 요구할 게 있으면 말해."

그렇게 말하자 소피아가 보는 사람을 매료하는 미소를 지으며 「감사합니다」라고 대답했다.

나는 빨라지는 맥박을 느끼며 어찌어찌 겉으로는 티 내지 않고 말을 이었다.

"지금부터 바깥 상황을 확인할 겸 장비를 사 올게. 돌아올 때까지 방에서 나오면 안 돼. 그리고 혼자 있으면 불안할 테니 유노랑 같이 있어."

"잘 부탁해~."

유노가 말꼬리를 길게 끌며 소피아의 방에 들어갔다. 나는 문을 닫고 여관을 나섰다.

삼엄한 분위기에 휩싸인 거리는 하늘이 흐린 탓도 있어서 분위기가 아주 어두웠다. 수도가 함락됐으니 지극히 당연한 분위기였다.

울적한 광경을 보며 나는 잠깐 소피아의 능력을 생각했다. 게임 속 그녀는 사용 기간은 아주 짧지만, 동료 캐릭터 중 하나였다. 하지만 수도 습격으로 파티에서 빠지고, 동료로 들어오지 않았다.

능력은 성에 머물던 때, 검과 마법 둘 다 쓴다고 했던 걸 보면 마법전사형이 틀림없을 것이다. 현재 능력이 게임과 같다면 습득한 기술과 마법은 하급뿐……

여기서 중요한 것은 그녀가 마왕을 쓰러뜨릴 자격이 있느냐 없느냐다. 현자의 핏줄이니 그럴 가능성이 컸다. 사촌 동생인 에이나가 마왕을 쓰러뜨리니, 그녀도 당연……할 거라 생각하지만, 게임에서 마왕을 쓰러뜨리지는 않으니, 무찌르지 못할 가능성도 있었다. 이제 돌이킬 수 없는 이상, 확실하게 하려면 주인공 중 누구에게 맡겨야 하나…….

현자의 핏줄이니까 성장 능력은 가졌을 텐데—.

"……그녀가 어떻게 행동하든 오더라는 사람에게 데려가야 해."

그 사람과 대화한 후에 생각하자. 그렇게 정리한 나는 무기를 파는 가게에 들어갔다.

이 상황에도 가게는 문을 열었다. 모험가가 들 만한 장비를 갖출 수 있겠다. 하지만 문제는 검이었다. 점포를 둘러봤지만, 대부분이 팔려서 괜찮은 게 없었다. 수도가 습격당해 사람들이 많이 사갔나? 아니면 병사나 기사들이……? 아무튼 소피아에게 어울리는 물건은 찾지 못했다.

그렇다고 안 좋은 검을 줄 수는 없었다. 방어는 마력으로 장벽을 만들 수 있다. 마법을 쓰는 소피아라면 어떻게든 될 거다. 하지만 무기는 신중히 골라야 했다.

게임과 다르게 가격 같은 것으로는 무기 검증이 불가능했다. 모험가는 보통 처음 본 마물과 어림짐작으로 싸우는데, 그럴 때는 무기 공격력이 매우 중요했다. 게임이라면 그런 마물과 마주쳐도 보스만 아니면 쉽게 도망쳐서 문제없지만, 현실이 된 지금은 그러기도 어렵고 공격이 먹히지 않으면 순식간에 절망적인 상황에 빠진다.

내 경우에는 나오는 마물의 데이터가 모조리 머릿속에 있고, 궁지에 몰리지 않도록 대책을 세워서 어떻게든 됐으나…… 소피아는 그럴 수 없었다.

"역시 무기는 내가 가진 것을 줄까."

한 번 둘러보고 결론을 내렸다. 나는 여관으로 돌아와서 내 방에서 수납함을 소환해 검토를 시작했다.

"으음. 공격력이 필요하지만, 너무 강력하면 도리어 눈에 띌 거야……. 그렇다고 평범한 장검은……. 우선은 마법을 봉인한 검으로 할까."

소재를 조합하면 평범한 검에도 특수능력을 부여할 수 있다. 공격력 상승 등의 무기 능력 상승 계열 외에도 검과 마법을 함께 쓰는 것도 가능했다. 수행 틈틈이 이것저것 시험해봤다.

분명히 시작품으로 그럴싸한 걸 만들었는데…… 뒤적거리다가 발견했다.

소재는 순은으로 미스릴 등에 비해 저렴하고 일반적이면서 충분한 공격력을 가졌다. 게다가 여자도 다루기 쉬운 가벼운 소재이며, 깃든 마력량이 많지 않아서 사용자의 마력과 반발할 일이 적은 것도 장점이었다.

이 검에 내가 부여한 마법은 두 개……. 공격력 상승과 방어력 상승 마법이었다. 마물 여러 마리와 싸울 경우에도 능력만 올리면 대응할 수 있는 일이 많고, 검 공격력도 초반 마물에게는 충분했다.

좋아, 이걸 주자. ……방을 나가 소피아의 방문을 두드리자 그녀가 금방 나왔다.

"네."

"괜찮은 걸 찾았어."

나는 검을 건넸다.

"순은으로 만든 검이야. 공격력과 방어력을 올리는 보조 마법이 부여됐어. 다른 장비도 내일까지 준비할게."

"이런 검을……? 저기, 비싸지 않았나요?"

그걸 신경 쓰다니…… 나는 일단 「괜찮아」라고 대답했다.

"이걸로 대륙을 평화롭게 해준다면."

진부한 말인가 싶었다.

"네!"

하지만 그녀는 웃으며 힘차게 대답했다. 그 모습이 터무니없이 아름다워 보여서…… 나도 등에 땀이 배지 않게 익숙해져야겠다고 생각했다.

소피아에게 무기를 준 뒤, 장비도 갖췄다.

하얀 외투는 새로 맞췄고, 기존의 물건들을 꼼꼼히 살펴보고 비싸 보이는 소재로 만든 그녀의 물건은 최종적으로 처분했다.

외투 아래에는 마법 실로 만든 파란 옷을 입었다. 로브 같은 게 아니라 위아래가 나뉜 것이었다.

옷 자체의 방어력이 충분하고, 소피아도 마력 장벽을 쓸 수 있으니 괜찮겠지.

장비를 갖춘 다음 날, 우리는 오더가 사는 마을로 향했다. 가는 길에 마주친 상인과 여행객들의 표정이 어두웠다. 하늘은 어제와 다르게 맑아서 여행하기 좋았으나, 어두운 얼굴을 보니 나까지 우울해졌다.

하지만 소피아는 달랐다. 표정이 어두운 사람들을 보고 계속 표정을 다잡았다. 자기가 싸워야 한다고 새삼 결심하는 것이리라.

유노는 내 주머니에만 있지 않고 소피아의 주위를 날아다니며 대화했다.

"오더라는 사람은 스승님이야?"

"네, 맞습니다. 기사로서 가르침을 주신 분입니다. 현재는 은퇴하고 고향 마을에 정착하셨습니다."

소피아가 대답하고 하늘을 올려다봤다.

"이번 마족 습격…… 아뇨, 아무래도 마왕이 대륙을 습격한 것 같으니 마왕 침공이군요. 오더 님도 소식을 듣고 마음 아파하고 계실 거라 생각합니다."

……갑자기 생각났는데, 그녀는 유노에게도 존댓말을 쓰는구나. 그런 쓸데없는 생각을 하며 앞으로 나아갔다.

우리는 거의 방해받지 않고 나그레이트 마을에 도착했다. 역참 마을을 잇는 길에서 벗어난 곳에 있는, 산을 등진 마을이었다. 멀리 보이는 경관이 제법 좋아서 살고 싶은 생각이 잠깐 들 정도였다.

소피아는 곧장 산 쪽으로 갔다. 마을 안쪽으로 갈수록 언덕길이 이어졌다. 오더는 위쪽에 사는 모양이었다.

소피아는 어디인지 아는지 망설이지 않고 걸었다. 나는 그녀의 뒤를 쫓으며 오더에게 뭐라고 이야기할지 생각했고…… 이내 도착했다.

"……어?"

하지만 저택을 본 순간, 소피아가 멍하니 멈춰 섰다. 나도 저택을 보고 침묵했다.

"이건…… 설마."

유노도 무슨 일인지 이해하고 중얼거렸다. ─창살로 만든 철문은 굳게 닫혀있었다. 창살 사이로 포석을 깐 길과 그 끝에 있는 현관이 보였다. 길 양쪽은 잡초가 무성하니 전혀 손질되지 않았다.

마족의 습격 소식을 듣고 수도로 달려간 것이라면 이렇게 엉망이지는 않을 것이다. 가볍게 어림잡아도 한 달은 방치된 모습이었다. ─나는 저택을 올려다봤다. 생기 없이 쓸쓸했다.

"……아이고, 또 손님이 왔네."

그렇게 저택을 바라보고 있는데 뒤에서 목소리가 들렸다. 돌아보니 지팡이를 짚은 노파가 있었다. 소피아가 물었다.

"저기, 이건─"

"오더 씨는 두 달도 더 전에 세상을 떴어."

그 말에─ 소피아가 눈을 크게 떴다.

"세, 세상을……?!"

"어제도 갑옷을 입은 기사들이 와서 사정을 설명했더니 의기소침해 했지. 오더 씨는 아무에게도 알리지 않은 게로구먼."

세상을 떠났다……니, 잠깐만. 두 달도 더 전에 세상을 떴다……. 게임에서 이 구절을 본 적이 있다. 에이나 시나리오였는데…… 무슨 내용이었지?

"그럼 이 저택에 사람은……."

"없지. 메이드도 떠났고."

"—아!"

생각났다. 갑자기 소리를 내는 바람에 소피아가 나를 봤다.

"왜 그러세요?"

"아, 아니, 미안. 상관없는 게 생각났어."

나는 얼버무리고 다시 생각했다. ……그렇다. 에이나를 주인공으로 선택하면 발생하는 초반 이벤트. 수도를 탈출하고 기사단이 모였을 때, 이곳에 들른 기사가 에이나에게 보고했다. 내용은 아까 노파가 말한 것과 같았다.

왜 당장 이름을 떠올리지 못했는지도 생각났다. 게임에는 오더라는 이름이 나오지 않는다. 그는 어디까지나 에이나의 스승이라는 호칭으로 불렸다. 하지만 난 이름을 기억했다. 전생에 구매한 게임 설정자료집에 있던 일러스트레이터의 러프 그림에 에이나의 스승이라고 이름이 붙은 캐릭터가 있었다.

캐릭터가 캐릭터이니만큼 당장은 떠올리지 못했다. ……그런데 난처하게 됐다.

에이나도 처음에는 오더에게 의탁하려고 했다. 많은 기사들도 그를 리더로 세워 기사단을 정리하려고 움직였으나 세상을 떠나는 바람에 결국 이루지 못했다.

그렇다면…… 소피아도 의지할 사람이 없어진 것이니 이제부터 어떻게 할지 생각해야 했다.

"……어떻게, 하지요?"

노파가 사라지자 소피아가 저택을 응시하며 멍하니 중얼거렸다. 위로하려는 건지 유노가 그녀의 왼쪽 어깨에 앉았다.

나도 곧바로 대답하지 못했다. 하지만 의탁할 곳이 없는데 이대로 그녀를 내버려 두면 어떻게 될지 몰랐다. 가장 무서운 것은 그녀가 기사와 마주쳐서 에이나에게 소식이 올라가는 것— 그렇게 되면 시나리오가 붕괴할 가능성이 있었다.

"……소피아, 확인 차 묻겠는데……."

"네."

내 말에 소피아가 내 쪽으로 몸을 돌리고 대답했다.

"예를 들어 폐하가 계신 곳으로 가지는…… 않을 거지?"

"현재 상황을 생각하면 그것도 하나의 선택지입니다만…… 제가 납득하지 못할 겁니다."

싸우겠다는 의지가 굳건하니 납득하지 못하는 게 도리어 당연했다. 목적이었던 인물이 세상을 떠나는 바람에 다른 선택지는 없지만 말이다. ……솔직히 이대로 왕에게 데려가도 안 될 거다. 소피아는 독자적으로 활동하려고 하리라. 만약 왕에게 가더라도, 싸우지 않는다는 결론을 내릴 때까지 기다려야 했다.

그럼 어떻게 해야 하나. —문득 소피아가 나와 어떻게 만났는지 생각났다. 처음 만났을 때부터 내 능력에 관심이 있는 것 같았다.

그걸 이용하면……. 마음이 아프기도 하지만, 시나리오를 무너뜨리지 않기 위해 입을 열었다.

"……혹시."

나는 말을 꺼냈다. 소피아가 눈을 마주 보며 경청하는 기색을 보였다.

"혹시 싸우고 싶다면…… 강해질 방법을 알고 있어. 그러니까…… 내가 가르쳐줄 수도 있어."

"네? 루온 님이?"

그녀가 되물었다. 기대하는 표정이었다.

"응. 어떻게 해야 할지 짐작이 가. 소피아가 바라는 것처럼 강해질지는 모르겠지만……."

"방법이, 있는 거죠?"

소피아가 한 걸음 다가왔다. 내가 고개를 끄덕이자 그녀가 강렬한 눈빛으로 대답했다.

"알겠습니다. 저는—."

"단—."

나는 그녀의 말을 막았다.

"조건이 있어."

"조건?"

"내 방식으로 하려면 어느 정도 소질이 필요해. 현자의 핏줄인 소피아는 자질이 충분할 수도 있겠지만, 직접 확인하지 않으면 나도 납득 못해."

"즉, 제 힘을 확인하고 싶다는 말입니까?"

"그래. 만약 내가 말한 걸 클리어한다면 가르쳐줄게."

—원래 오더에게 그녀를 맡기고 검증할 생각이었다. 하지만 이러는 편이 오히려 내가 그녀의 동향을 제어할 수 있으니 더 낫기도 하겠다.

먼저 필리 같은 성장 능력이 있는지 없는지…… 만약 없으면 가엾지만 왕에게 가도록 해야 했다. 있으면 잘 구워삶아서 그녀가 독단으로 행동하지 않도록 하자.

내가 지도할지 말지…… 그건 지금 단계에서 결론을 내릴 수 없었다. 그것을 포함해 검증하기로 하자.

"마족과 싸워야 하니 어중간하게 말할 수는 없어. 어려운 시험이 될 텐데, 각오는 했어?"

"물론입니다."

소피아가 고개를 끄덕였다. 나는 「알았어」라고 짧게 대답했다.

"그럼 여기를 떠나자. 조금 더 가면 큰 마을이 있어. 거기서 시험 준비를 하자."

나는 먼저 걸음을 뗐다. 소피아는 「네」라고 대답했고— 우리는 나그레이트 마을을 떠났다.

오터의 저택을 떠난 나와 소피아는 게임에도 있는 마을에 도착했다. 발크스 왕국 수도에서 북쪽. 국경과 가까운 데 있는, 여러 개의 교역로가 합류하는 마을 실벳— 네 구역을 십자로로 구분하고, 타국으로 가는 길이 있었다.

게임 속에서는 거점이 되는 마을 중 하나였다. 현재 우리는 대륙 서부에 있는데, 이곳은 여러 곳으로 가기 위한 요점이라 다섯 명의 주인공 모두가 여러 번 발을 들이는 마을이었다.

마족들이 습격할 절호의 포인트인데…… 게임에서는 수많은 기사와 마법사가 마을을 지킨 덕분인지 마지막까지 습격당하지 않고 무사했다. 이건 현실도 똑같았다.

"이곳을 잃으면 안 된다는 것을 아는 모양입니다."

마을에 들어가기 직전, 문 앞의 엄중한 경비를 보고 소피아가 중얼거렸다. 나는 수긍하며 문을 지났다. —거대하고 활기찬 마을로 들어섰다.

이곳에는 모험가 길드가 있어서 다양한 의뢰를 받을 수 있다. 내가 전생하기 전, 루온도 이 마을에 신세 진 시기가 있는지 길드 등록을 해놓아서 지금도 이용할 수 있었다.

게임에 있던 의뢰 내용은 어느 장소의 마물을 무찔러달라는 단순한 것부터 서브 이벤트로 꽃을 따 달라든가, 뭔가 서정적인 것도 있었다. 마왕이 공격하는 상황을 생각하면 그런 것을 해도 되나 싶지만, 의뢰를 어느 정도 소화하면 전용 아이템을 주기 때문에 게임을 좀 더 깊게 플레이할 경우에는 의뢰를 받는 게 필수였다.

대신 현실은 시간적인 제약이 있으니 다 하는 것은 무리였다.

"잠깐만 기다려줘."

나는 여관에 소피아를 남겨두고 길드로 향했다. 참고로 유노는—.

"자자, 얼른 길드로 가자!"

"왜 따라와……."

나는 왜인지 머리 위에 올라탄 유노에게 물었다.

"흐흥, 계속 소피아랑 있을 줄 알았어?"

"아니…… 외출할 때는 이러기도 할 거라고 생각했어."

"그리고 루온, 사역마를 이용해서 관찰하고 있잖아?"

"혹시나 해서 하는 말인데 훔쳐보는 거 아니다?"

"알아. 루온은 그런 짓을 할 수 있는 사람이 아닌걸."

이상한 부분에서 신용 받네……. 바보 같은 생각을 하며 기억에 의지해 길드로 갔다.

외관은 술집 같은 목조 건물이었다. 안으로 들어가니 아주 조금 탁한 공기가 맞이했으나, 어두운 분위기는 아니었다.

유노를 보고 반응하면 귀찮겠다 싶었으나 아무도 언급하지 않았다. 그래서 접수처에 있는 남자에게 문제없이 말을 걸 수 있었다.

"······안녕하세요."

"응? 아, 일은 저쪽으로."

접수처 옆에 종이가 게시돼있었다. 모험가 길드는 다양한 나라에 있는데, 의뢰 알선 방법은 각기 달랐다. 여기서는 「직접 찾아라」라는 방식이었다.

나는 게시된 종이를 바라봤다. 만약 다른 사람이 하고 있는 중이라면 이도 저도 아니게 되는데····· 찾았다. 의뢰명 『숲의 괴물을 토벌해줘』.

길드 의뢰는 시나리오 진행 상황에 따라 바뀌기 때문에 안 하면 사라진다. 게임이 아니라 현실이 된 지금은 다른 모험가가 의뢰를 받은 것으로 해석해도 되겠지.

하지만 이 의뢰는 아직 남아있었다. 나는 그 종이를 뗐다.

"루온, 그 일로 하게?"

"응."

유노의 물음에 고개를 끄덕이고 접수처로 갔다.

의뢰주는 마을 남서쪽에 있는 삼림지대 인근 마을의 촌장. 장기 때문에 숲이 이상해져서 마물이 나타났으니 구제해달라는 의뢰였다.

보수는 많지 않았다. 마을에서 낼 수 있는 의뢰비에는 한계가 있을 터였다. 다만 게임에서는 초반에 나름대로 고가인 독을 방지하는 액세서리를 주울 수 있으므로 습득할 수 있는 아이템을 고려하면 충분한 보상이었다. 수행하며 경험해본 바에 의하면 현실에 아이템이 떨어질 가능성은 적지만 말이다.

아무튼 나는 길드 사람에게 이 의뢰를 맡겠다는 의향을 전했다. 그 후, 밖으로 나가자 유노에게서 질문이 날아왔다.

"마물 토벌 의뢰인가 본데, 소피아가 할 수 있을까?"

"추정 레벨은 핀트 마을이 습격당했을 때의 필리와 거의 같거나 조금 낮을 거야."

"소피아에게 힘들지는 않고?"

"이 숲에 나오는 마물은 지금의 소피아에게 조금 벅차. 그런 마물을 상대하면 그녀의 성장 능력을 확인할 수 있어."

보스를 쓰러뜨린 증거를 가져오면 클리어이며 나는 밖에서 기다리겠다고 하자. 하지만 실제로는 마법으로 몸을 숨기고 몰래 뒤를 쫓아 동향을 관찰한다. 만약 그녀가 위기에 빠지면 나가서 구하면 된다.

"그래서, 소피아를 어떡하게?"

"던전을 얼마나 진행했는지로 정해도 되나? ……예를 들어 반절도 진행하지 못하면 성장 능력이 필리에 비해 떨어지는 거야. 그러면 어느 정도 강해질 때까지 지정한 곳에서 수행해야 한다고 말하면 돼. 일단 나름대로 후보도 뽑아놨어."

"루온이 직접 훈련시키는 건?"

"……결과를 보고 생각할게."

그 뒤, 여관으로 돌아가 의뢰 내용을 소피아에게 설명했다. 마물의 소행이라니까 제법 의욕을 보였다.

"마을 사람들이 곤란해 하니 내버려 둘 수 없네요."

"응. 의뢰로 능력을 확인해서 불만일 수도 있는데…… 소피아의 실력을 시험할 만한 게 이것밖에 없었으니까 참아줘."

"아뇨, 신경 쓰지 않으니……. 내일 출발합니까?"

"그래. 몇 시간은 걸어야 도착하는 모양이니까 새벽에 가자."

"알겠습니다. 잘 부탁드립니다."

"응."

이것으로 대화는 종료. 우리는 이 마을에서 하룻밤을 묵고 의뢰받은 마을로 가기로 했다.

다음 날, 해도 뜨지 않은 시간에 당장 마을로 갔다. 규모는 그럭저럭, 실벳에서 몇 시간 정도 거리로, 길에서 보면 멀찍이 보이는 곳에 있었다. 한적한 시골 마을인데 마왕 침공의 영향인지 마을 사람들의 표정이 어두웠다. 불안한 것은 어쩔 수 없었다.

"기다렸습니다."

마을 사람에게 의뢰를 맡은 사람이라고 말하자 촌장이 찾아왔다.

"두 분과, 정령입니까?"

"아, 신경 쓰지 마."

유노가 손을 흔들며 신경 쓰지 말라고 어필했다. 촌장은 순간 당황했다가 그녀의 말에 따라 나와 대화하기 시작했다.

"이번 의뢰 내용을 다시 설명할까요?"

"괜찮습니다."

"그럼 안내하겠습니다."

그의 안내로 우리는 마을과 떨어진 곳으로 향했다. 숲의 입구가 보였는데…… 뭔가 기척이 짙었다. 장기가 틀림없었다.

"숲속의 양상이 예전과 달라졌습니다. 마치 미로 같아졌고, 해가 떠 있는데도 빛이 들어오지 않습니다."

"마물의 소행이 틀림없군요. ……맡겨주세요."

"부탁합니다. 혹시 휴식이 필요하면 저희에게 말씀해주세요. 숙소를 대신할 방을 준비하겠습니다."

촌장이 떠난 후, 나는 소피아에게 다시 설명했다.

"자, 이렇게 장기가 있는 곳에는 그 근원인 마물이 한 마리는 반드시 있어. 그걸 쓰러뜨리는 게 목적이야."

"네."

"소피아의 능력이 어느 정도인지 확인해야 하니…… 숲 밖에서 기다릴게. 만약 근원인 적을 쓰러뜨리면 증거를 가져와. 그러면 클리어. 나도 인정할게."

"알겠습니다. 저기……."

"왜 그래?"

"언제까지 적을 쓰러뜨려야 완전히 납득해주실 겁니까?"

납득, 이라……. 필리와 함께 싸운 경험을 생각하면─

"그래······ 숲의 기척을 고려하면, 오늘 중에 쓰러뜨렸으면 좋겠어. 단, 해가 지기 전까지는 반드시 돌아와. 밤의 숲은 위험하니까."

"······알겠습니다."

소피아가 대답하고 숲을 바라봤다. 나는 그녀에게 건넨 것을 떠올렸다.

특수한 마법을 담은 손바닥 크기의 작은 돌로, 마물의 공격을 받고 만약의 사태에 빠지면 발동하는 긴급용 결계 및 치유 계열 마법을 봉인했다. 참고로 그녀에게는 「지니고 있으면 방어력이 조금 오른다」고 말해놓았다.

이러면 빈사 상태가 돼도 괜찮을 것이다. 그녀의 뒤를 쫓아갈 거지만, 도울 시간도 없이 마물에게 연속으로 공격당하면 위험하니까······. 만약 그 외의 예상 못 한 상황에 빠지면 그때그때 대응하면 된다.

소피아는 허리에 찬 검을 뽑았다. 준비는 끝났다. ······그녀가 걸음을 뗐다. 나와 유노는 묵묵히 배웅했다. 이내 모습이 사라지자 나도 움직이기 시작했다.

"일단 어떡할 거야?"

유노의 질문에 나는 행동으로 대답했다. 조금 변형한 기척 은닉 마법─. 수행 시절, 마법을 이것저것 조합하다가 만들었다.

구체적으로 말하면 소리를 차단하는 효과가 있었다. 이러

면 내가 수풀을 헤치는 소리도 들리지 않는다. 단, 기척 은
닉 마법의 효과가 약해지기 때문에 고위 마족에게 통할 가
능성은 적었다.

하지만 소피아와 이 숲에 있는 마물이라면 문제없다.

"가자."

유노에게 말하고 숲속으로 천천히 들어갔다. 어두침침하고
장기 때문에 기분 나쁜 분위기가 감돌았다. 조금 걸어가자
주위를 경계하는 소피아를 발견했다. 기척 은닉 마법만 유지
하면 들킬 일이 없으니 그대로 그녀의 뒤를 쫓기로 했다.

잠시 뒤, 그녀의 정면에 마물이 나타났다. 두꺼운 나무 기
둥에 기괴한 얼굴이 있고 뿌리를 다리처럼 움직였다. 게다
가 여기저기 뻗은 가지에서 장기가 뿜어져 나왔다.

식물이 장기에 침식당해 마물로 변한 『우드 메일』이었다.
상당히 기분 나쁘게 생겨서 마을 사람들이 무서워한 것도
이해가 됐다.

"시작한다."

유노가 소피아를 바라보며 중얼거렸을 때— 전투가 시작
됐다. 소피아가 선수를 쳤다. 상황을 지켜보며 느긋하게 움
직이는 우드 메일에게 접근해 검을 가로로 휘둘렀다.

검이 확실하게 먹혀 마물이 약간 휘청거렸다. 하지만 바로
자세를 가다듬고 몸통박치기를 시도했다.

소피아는 옆으로 도망쳐 피했으나, 우드 메일의 공격은 끝

나지 않았다. 얼른 몸을 돌려 이번에는 몸통박치기가 아니라 가지로 공격했다. 가지가 칼처럼 예리해지더니 검을 휘두르듯이 그녀를 공격했다.

소피아가 검으로 튕겨냈다. 가지의 경도가 상당한지 검과 부딪히자 챙, 소리가 났다. 섣부르게 공격하면 반격을 당하고 다칠 것이 분명했다. 어떻게 움직여야—.

소피아는 가지를 받아치고 달렸다. 마물은 대응할 태세로 카운터 공격이라도 하려는지 가지를 뻗으려 했다. 그러나 다음 순간, 그녀가 쥔 검의 마력이 증폭했다.

혹시 검이 갖춘 공격력 강화를 사용했나. —그녀는 거리를 좁히고 마물이 반응하기 전에 공격했다.

공격은 보기 좋게 성공. 그녀는 검이 들어가자 더 파고들었다.

"찢어 갈라라— 바람이여!"

말과 동시에 회오리바람이 생겼다. 나와 영창 주문은 다르지만— 이것은 바람 속성 하급 마법인 『윈드 슬래시』였다.

바람의 칼이 마물에게 날아갔다. 공격받고 비틀거린 우드 메일은 추가 공격으로 태세를 크게 무너뜨렸다.

결정타를 넣었다기보다는 더 공격하기 위해 쓴 연속 마법이라고 이해한 직후, 그녀의 무기가 마물을 세로로 공격했다.

그 결과, 마물은 둘로 나뉘어 땅에 쓰러졌다. 몸이 썩어 흙 같은 것으로 변했다.

"오오, 꽤 하잖아."

유노가 감상을 늘어놨다. 마물의 움직임에 대응했고 시작이 좋았다.

나는 소피아를 관찰했다. 호흡을 가다듬은 그녀는 마물이 완전히 죽은 것을 확인하고 다시 이동했다.

"루온, 지금 움직임 어떻게 봤어?"

유노의 질문에 나는 방금 있었던 전투를 돌이켜보며 대답했다.

"결정타까지 가져간 공격이 아주 깨끗했어. 검 실력도 물 흐르는 것 같았고 마법을 정확하게 써서 연속으로 공격한 것도 좋았어."

"실력은 좋다고?"

"전투 센스는 분명히 있어."

우리가 대화하는 동안, 소피아는 숲 안으로 나아갔다. 이내 Y자 길이 나타났다. 그녀는 잠시 망설이다가 오른쪽 길을 선택했다.

저 갈림길은 낯이 익었다. 정답은 왼쪽이다. 오른쪽 길은 막혔다. 대신 게임에서는 액세서리가 떨어져 있었다. —도중에 마물과 만났다. 이번에는 『고블린』이었다.

고블린은 전생에 있는 판타지 게임과 소설에서는 대중적인 존재인데…… 이 세계의 고블린은 인간 반만 한 신장을 가진 아이 요괴라고 하면 될까? 사람의 얼굴을 심하게 일그러뜨린 것 같은 기분 나쁜 얼굴에 검과 갑옷으로 무장했다.

분명 마왕군 중 최하급 병사…… 즉, 고블린이 있다는 것은 이곳이 마왕의 부하인 마족의 영향을 받았다는 뜻이었다.

고블린에도 강한 정도에 따른 구분이 있었다. 악마처럼 피부색에 따라 다른데 가장 약한 게 초록색, 그 위가 빨간색이고…… 이번에 만난 것은 빨간색이었다. 게임에서는 레드 고블린이라고 불리는 놈이었다. 게다가 두 마리—.

소피아는 얼른 검을 겨누었다. 빨간색은 아래에서 두 번째이지만, 소피아의 레벨을 생각하면 상당히 강했다. 게다가 여러 마리가 나타났으니 때에 따라서는 오히려 당할 가능성도 있었다.

고블린이 먼저 움직였다. 한 마리가 선수를 쳤다. 다른 한 마리는 움직이지 않았다. ……상황을 지켜보는 걸까, 한 마리로 충분하다고 생각하는 걸까.

고블린이 어떻게 생각하는지는 모르지만 소피아에게 좋은 기회였다. 이상적인 전투 방식은 각개격파. 운이 좋게도 고블린이 그런 형태로 끌고 왔다.

소피아의 결단은 빨랐다. —고블린의 움직임에 즉각 마력을 쓰고 달려들었다.

우드 메일과 싸울 때처럼 공격력을 올리는 보조 마법을 썼다. —고블린은 들고 있던 검으로 소피아의 검을 튕겨내려고 했으나 그녀에게 밀려 공격당했다. 하지만 쓰러지지는 않앉다. 그동안 다른 고블린도 움직이려고 했다. ……그러나 한발 늦었다.

"악한 자에게 쏟아져라— 번개여!"

마법 발동. 그녀의 앞에 전기 덩어리가 나타났다. 전기 덩어리는 소피아가 벤 첫 고블린에게 날아가 직격했다. 『썬더볼트』라는 번개 속성 하급 마법으로, 아까 쓴 『윈드 슬래시』보다는 위력이 세고 마력도 조금 더 소비한다.

그 결과, 첫 고블린이 검게 탔다. 소피아는 밀어붙이듯이 연속으로 공격했고— 그때, 다른 한 마리가 공격했다. 소피아는 얼른 고블린의 검을 쳐내고 공격했다. 고블린은 방어하지 못하고 그녀의 검에 맞았다.

그리고 추가 공격— 하급 기술인 『십자 베기』를 먹였다. 말 그대로 십자로 적을 베는 장검 기술이었다.

고블린은 추가 공격을 받고 쓰러져 소멸했다. 소피아는 크게 숨을 내쉬었다.

"……좋아, 앞으로 가자."

스스로를 북돋듯이 말한 그녀는 숨을 고르고 걸음을 뗐다.

"와— 강한데?"

"……응."

유노의 감상에 나도 동의했다.

그 뒤, 소피아는 막다른 길에 도착했다. 예전에 수행한 동굴에는 게임에 있던 보물 상자가 없었는데…… 여기에도 아이템은 없었다.

소피아는 말없이 발을 돌렸다. 나는 그녀의 뒷모습을 관찰했다. 은발이 걸을 때마다 흔들렸다. 기괴한 숲속에서도 넋을 잃고 바라볼 정도로 매력적이었다.

"저기, 루온."

갑자기 주머니 속에서 유노가 입을 열었다.

"아까 전투, 어떻게 생각해?"

또 의견을 듣고 싶은가 보다. 나는 조금 생각한 뒤, 유노에게 이야기했다.

"먼저 마법…… 하급 마법에다 게임에서도 이미 배워둔 것뿐이었어. 하지만 검기는 달라. 새로운 기술을 습득했어."

"검기?"

"십자로 베는 공격이 있었잖아?"

"그거 말이구나. ……근데 게임에는 어떤 기술을 갖고 있었어?"

"하급 기술인 『칼등 치기』와 『질풍검』. 그중 『질풍검』은 마법과 조합해서 쓰는 『마도기』야."

"그건 무슨 효과가 있어?"

"음, 『칼등 치기』는 위력은 없지만, 일시적으로 상대의 움직임을 막는 효과가 있어. 『질풍검』은 바람 속성이 부가됐고 나름대로 위력적이야."

"참고로 고유 기술은 있었어?"

"없었어. 습득할 가능성은 알려지지 않았어."

그렇게 대화하는 동안, 소피아는 Y자 길로 돌아와 왼쪽 길로 나아갔다. 도중에 우드 메일을 시작으로 여러 마물과 교전했는데…… 그 와중에 깨달았다.

그녀는 분명히 전투를 거듭하며 레벨이 올랐다. 게다가 필리처럼 가속도적으로 빠르게 성장했다.

여러 갈래로 나뉜 갈림길을 지나고 고블린 두 마리와 마주쳤다. 이번에는 동시에 공격했는데— 소피아는 『윈드 슬래시』로 한 마리를 겁주고 검을 휘둘렀다. 세 번의 공격으로 적을 쓰러뜨렸다. 하지만 이번에는 보조 마법을 사용하지 않았다. 공격 위력도 확실하게 올랐다.

경험을 쌓을수록 마물을 처리하는 속도가 빨라졌다. …… 분명히 성장 능력이 있었다.

"내가 봐도 알겠다. 숲에 들어갈 때에 비해 강해졌어."

유노도 인정했다. 나는 마음속으로 동의하고 말했다.

"소피아는 어릴 적부터 검을 배웠는데…… 『각성』은 최근에 했지."

"『각성』해서 루온의 특수한 힘을 느끼게 된 거겠지?"

"그럴걸."

"지금까지 얻은 지식과 기술로 쉽게 대처하는 느낌인데?"

—숲에 들어간 직후와 비교해 마물에게 적절하게 행동했다. 게다가 그 외에도 높아진 능력이 엿보였다.

여러 차례 막다른 길을 맞닥뜨리고 한숨을 내쉬기도 했지만, 바로 마음을 다잡고 움직였다. 숲속은 게임보다 훨씬 복잡했다. 헤매지 않게 표시라도 해야 한다고 생각했으나 그녀는 그마저도 하지 않았다. 그보다 길을 헤매고 같은 길을 걸은 적이 한 번도 없었다. 걸어온 장소를 전부 기억하는 것 같았다.

여러 마물에게도 동요하지 않는 정신과 적절한 판단력과 기억력…… 전사로서 만점이라 해도 될 정도였다. 게다가 성장까지 빠르면—.

소피아는 또 고블린과 마주쳤다. 이번에는 세 마리였다. 아무래도 이건 고전할 가능성이…… 있을 줄 알았는데 어떤 주문을 외우기 시작했다. 음, 지금까지 들은 것과 조금 다른데—.

"무구한 선풍이여— 터져라!"

주문과 함께 마법이 발동했다. 지금까지 봐 왔던 바람과 번개가 아니었다. 그녀는 살을 가를 듯한 여러 개의 바람의 칼을 날렸다.

바람의 칼이 고블린에게 명중했다. 한 방에 쓰러뜨리지는 못했지만, 고블린은 겁을 집어먹었다. 소피아는 그 기회를 놓치지 않고 접근해 대미지를 입고 멈춰 선 고블린을 각개 격파했다.

능숙해……. 그녀가 쓴 것은 바람 속성 하급 마법 『에어리

얼 소드』였다. 직선상에 있는 적에게 바람의 칼을 쏘는 마법
으로, 하급 마법이긴 하지만『윈드 슬래시』보다 셌다. 게임
속 그녀는 쓰지 못했는데ㅡ. 그녀는 쭉 단련해왔다. 관련
『지식』이 있을 게 분명했고, 그랬기 때문에 지금 그 마법을
썼다.

소질은 분명히 있다고 확신했을 때, 드디어 소피아가 가장
깊은 곳에 도착했다.

"여기는……."

숲속에서 장기가 가장 짙은 곳. 그곳에는 기괴한 식물이
있었다.

게임 이름은『키메라 플랜트』. 여러 그루의 나무 기둥이
몸통에 색색의 꽃과 헤아릴 수 없을 정도로 많은 두꺼운 덩
굴과 가지를 달고 숲속에 자리 잡았다.

소피아를 알아차린 키메라 플랜트는 마력을 살짝 진동시
켰다……. 이 녀석은 움직이지 않는다. 하지만 다가가면 두
꺼운 덩굴이나 가지로 반격했다. 거리를 벌리면 땅속에서 뿌
리가 뻗어져 나와 공격했다. 내구력이 높아 장기전이 되기
쉬운 난적이었다.

게임은 단체공격이 메인이기 때문에 전멸하지 않지만, 지
금은 소피아 혼자ㅡ.

마물이 먼저 공격했다. 덩굴 여러 개가 곧장 소피아에게

날아들었다.

그녀는 덩굴을 재빠르게 쳐내고 동시에 주문을 외웠다.

"터져라!"

답례라는 듯이 『에어리얼 소드』를 날렸다. 바람의 칼이 마물에게 직격하고— 기둥이 약간 베였으나 대단한 대미지는 아니었다.

소피아는 이어서 주문을 외웠다. 이때까지는 마법을 연발한 적이 없는데, 눈앞의 마물이 이 숲의 주인이라고 판단했는지 남은 힘을 다 써버릴 작정이었다.

이어진 바람의 칼. 키메라 플랜트의 약점은 불이지만, 그녀는 불 계열 마법을 습득하지 않았을 터. 혹시나 지금 사용하면 마법을 더 체득하는 게 되는데—

정신을 차려보니 소피아가 덩굴의 공격 범위 밖까지 후퇴했다. 마물의 공격을 파악하고 범위 밖으로 벗어나려는 생각이었으리라. 순간적인 판단력에 상대의 공격 범위를 알아차리는 통찰력도 있었다.

그러나 그것은 함정이기도 했다. —순간, 그녀의 발 근처 땅이 살짝 솟구쳤다.

"앗……."

유노가 자기도 모르게 반응했다. 키메라 플랜트는 덩굴이 닿지 않자 뿌리로 발쪽에서 공격하기로 바꿨다.

소피아는 전방을 보느라 알아차리지 못했다. —아니, 공격이 닿기 직전에 알아차렸다. 그녀는 옆으로 도망쳤다. 서 있던 곳에서 뿌리가 솟구쳤다.

뿌리 끝은 날카로웠다. 마력 장벽을 구성한 소피아에게도 충분한 위력을 발휘할 터였다. 지금 이 공방은 상당히 위험했다.

소피아는 태세를 가다듬고 반격하려고 했으나 다음 순간, 다시 옆으로 피했다. 키메라 플랜트가 뿌리로 추가 공격하려는 것을 알아차리고 회피에 성공했다.

"오오, 대단해……!"

유노가 감탄했다. 나도 소리를 지를 뻔했다. 상대의 공격을 감지하는 능력도 상당했다.

"과연. 성가시군……."

한편, 소피아는 심각한 표정으로 검을 겨누고 키메라 플랜트에게 다가갔다. 이번에는 덩굴이 그녀를 공격했다.

소피아는 일단 검으로 쳐냈으나 수가 많아서 전부 막지 못하고 후퇴해야 했다. 그러자 이번에는 뿌리의 공격이 들어왔다.

그러고 보니 게임에서 솔로 플레이할 때, 키메라 플랜트가 성가시다는 이야기를 들었다. 공격 속도가 빠르고, 혼자일 경우에는 집중 공격을 받기 때문에 공격할 틈이 없는 모양이었다. 평범한 파티 편성이면 고생하지 않고 대응할 수 있는 별것 아닌 보스이지만, 속박 플레이가 되면 성가셔진다.

"크윽……!"

소피아는 짜증이 난 듯했다. 덩굴이 그녀를 향해 곧장 날아왔다.

너무 뿌리에만 주의를 쏟았는지 그녀는 한발 늦게 움직였고— 덩굴이 오른쪽 옆구리를 스쳤다.

"윽—!!"

고통스러운지 작게 신음했다. 키메라 플랜트의 공격은 멈추지 않았다. 이대로라면 집중 공격을 받고 패배한다. 그럼 내가— 라고 생각했을 때, 소피아가 뛰어들었다. 키메라 플랜트는 당장 덩굴을 뻗어 그녀를 노렸다.

"마를 벌하는 염열(炎熱)이여— 멸하라!"

그녀가 마법을 발동했다. 어느 틈에 주문을—?! 그녀의 주위에 붉은빛이 생겼다.

정확히 말하면 그것은 빛이 아니라 불이었다. 나이프보다 날카로운 불이 일제히 키메라 플랜트에게 쏟아졌다.

이것은 불 속성 하급 마법 중 하나인 『플레임 니들』이었다. 작은 불을 뒤집어씌워 상대를 공격하는 마법으로, 게임에서는 다섯 개 정도의 침이 적에게 날아가 꽂혔다. 위력은 불 속성 제일 아래에 있는 『파이어볼』보다 나았다.

다만, 그녀가 쏜 침은 게임보다 훨씬 작고 대신 수가 많았다. 키메라 플랜트를 쓰러뜨릴 위력은 없어 보이는데— 다음 순간, 나는 그녀의 의도를 알아차렸다.

마법이 마물에게 직격했다. 목표는 덩굴 그 자체. 작지만 불을 뒤집어쓴 덩굴이 불타고 예리함을 잃었다.

불로 덩굴을 불태워 공격을 막았다. 소피아가 거리를 좁혔다. 동시에 그녀는 주문을 외웠다.

"이대로 단번에⋯⋯?"

유노가 의문을 입에 담았다. 그녀의 말대로 밀어붙일 작정이었으나 소피아는 키메라 플랜트에게 대미지를 얼마 주지 못했다. 지금부터 공격해도 지금의 공격력으로는⋯⋯ 나는 당장 도울 준비를 하고 그녀의 전투를 지켜봤다.

소피아는 덩굴을 불태우고 마침내 키메라 플랜트에게 검을 맞출 수 있는 위치에 도착했다. 그리고 이어서 『십자 베기』를 먹였다. 정확히 나무 기둥 중심을 베어 키메라 플랜트를 크게 흔들었다.

효과가 있다―. 그때, 새 덩굴이 공격했다. 그러나 그녀는 공격을 멈추지 않았다. 더 파고들며 대미지를 각오하고 독주할 태세를 보였다.

이봐―! 하고 나도 모르게 소리 지를 뻔했다. 소피아는 최소한의 동작으로 덩굴을 피했다. 그러나 수많은 공격을 전부 피하지는 못하고 옆구리와 어깨 등, 예리한 덩굴이 온몸을 스쳤다.

"윽⋯⋯!"

소피아는 다시 신음했다. ⋯⋯하지만 고통을 견디고 왼손을 내질렀다.

"불꽃의 창이여— 터져라!"

주문과 함께 그녀의 왼손에서 불길이 뿜어져 나왔다. 키메라 플랜트의 거의 코앞에서 공격했다. 마력을 느끼고 무슨 마법인지 이해했다. 이것은 불 속성 하급 마법인 『파이어 랜스』였다.

대상은 적 하나. 불 속성 하급 마법 중에서 가장 강한 마법이며 불이 약점인 상대에게 상당한 대미지를 줄 수 있을 터였다.

열기가 마물 주변을 덮쳤고 소피아는 얼른 후퇴했다. 코앞에서 공격한지라 그녀 또한 화상을 입어도 이상하지 않았으나 마법을 발동하며 팔 표면에 있는 마력을 견고히 했는지 다친 것 같지는 않았다.

그리고 키메라 플랜트는…… 직격한 기둥이 크게 다쳤지만, 아직 살아있었다. 하지만 혼란에 빠졌는지 덩굴과 가지가 의미 없이 움직이며 틈이 생겼다. 하지만 소피아도 움직이지 않았다.

"공격 안 해……?!"

유노가 동요하며 말했다. 나는 상황을 분석했다.

"움직이고 싶을 거야. 하지만 소피아도 다쳤으니까 먼저 태세를 가다듬어야 해."

그 말대로 소피아는 회복하려고 재빠르게 주문을 외웠다.

치유 마법을 사용해 지혈했다.

그동안, 키메라 플랜트는 혼란에서 벗어났다. 연속 공격을 받고 한계에 다다른 것이 마력으로 느껴졌다.

조금 전의 마법, 상당한 마력을 모은 공격이었다. 하급 마법의 위력을 중급 마법까지 끌어올리기는 어렵지만, 키메라 플랜트가 상대라면 몰아붙일 정도로 위력을 올릴 수 있는 모양이었다. 이 상태라면 앞으로 공격 몇 번으로 쓰러뜨릴 수도 있겠다.

다음은 어떻게 할까— 그렇게 생각하는 순간 소피아가 내달렸다. 키메라 플랜트도 대응하고자 덩굴을 날렸다.

아까와 같은 구도였으나 소피아의 움직임은 이전보다 뒤떨어졌다. 한편 키메라 플랜트는 덩굴의 움직임 자체는 그대로였다. 소피아는 마력도 줄어 열세였고, 공격할 방법도 그리 많지 않을 것이다.

그래서인지 그녀는 덩굴을 쳐낸 뒤, 중거리에서 『파이어 랜스』를 쐈다. 역시 다시 한 번 뛰어드는 짓은 불가능하다고 판단한 모양이었다. 덩굴로 방어할 가능성이 있었으나— 키메라 플랜트에게 직격했다. 하지만 그래도 쓰러지지 않았다.

다시 『파이어 랜스』를 발동하려고 마력을 모았으나— 키메라 플랜트가 덩굴로 아까보다 격렬하게 공격했다. 마법을 방해할 목적이었다.

이러면 접근하는 수밖에 없으나 그러려면 덩굴의 맹공을

뚫어야 했다. 하지만 움직임이 둔해진 현재 상황에서는 리스크가 컸다. 밀어닥치는 맹공을 막지 못하면 끝이었다.

퇴각할 때인가…… 아니, 퇴각하더라도 다친 상태로 뿌리의 공격을 피할 수 있을지 알지 못했다. 소피아도 그렇게 생각하는지 도망칠 기색을 보이지 않았다.

만신창이이니 도와야 하나…… 그런 생각이 들어 모습을 드러내려고 했다. 그런데—.

"……루온 님."

내 이름을 부르는 소피아의 목소리가 또렷하게 들렸다.

"어디선가, 보고 계시죠?"

—나는 하마터면 대답할 뻔했다.

"알아차렸어……?"

유노가 놀랐다.

나도 놀랐다…… 마법을 써서 뒤를 쫓는 것을 예상할 수 있나? 어떤 계기로 알아차렸을 가능성도 있기는 한데—.

"전투는, 아직 끝나지 않았습니다. 전부, 다음 공방을 보고 판단 부탁드립니다."

내가 간섭하려던 것을 간파한 듯한 말…… 동시에 나는 그렇구나, 하고 이해했다.

소피아는 숲 입구에서 어떻게 하면 완전히 납득할 수 있는지 물었다. 나는 오늘 중에 처리하라고 대답했는데…… 소피아는 실패하면 내가 그녀를 왕에게 돌아가도록 할 것이라 생각했다.

그것은 소피아의 목적이 이루어지지 않는다는 뜻이었기에 필사적으로 싸웠다. 그러나 내게 왜 그렇게까지, 라는 의문은 있었다. 하지만 억누르고 그녀의 전투를 지켜보기로 했다. 결과가 어떻게 되든 여기서 개입하면 그녀도 납득하지 않으리라.

"루온……."

유노가 불안하게 불렀다. 여기서 전투의 행방을 보고만 있다가는 소피아가 위험하다고 생각했다. 그러나―.

"유노, 끝까지 지켜보자."

나는 그렇게 말하고 소피아의 옆얼굴을 봤다. 결사의 각오로 마물과 맞서는 확고한 표정. 어떻게 할지 이미 결단한 모습.

소피아는 검에 마력을 주입하고 달렸다. 도박이었다. 키메라 플랜트는 대미지를 받기는 했지만, 다음 공격으로 쓰러질지는 알 수 없었다. 한계에 가까워진 그녀는 혼신의 일격으로 결판을 내기 위해 달렸다.

키메라 플랜트도 지지 않고 공격했다. 여태까지 받은 대미지가 쌓였을 텐데 움직임은 여전했고, 소피아를 쓰러뜨리기에는 충분한 덩굴을 뻗쳤다.

나는 소피아가 마물의 공격을 피하지 못하리라 직감했다. 그녀도 아는지 진로를 막는 덩굴만 튕겨내고 몸을 스치는 공격은 무시하고 돌격했다. 대미지와 맞바꿔 그녀는 거리를 좁히는 데 성공했다.

연달아 세로로 공격했다. 키메라 플랜트가 그 공격에 멈칫하자 소피아는 더 공세에 나섰다.

"—바람이여!"

이어진 공격은 『윈드 슬래시』. 바람의 칼이 정확하게 적에게 맞았고— 소피아는 『연속 베기』를 먹였다.

"이건—."

사용하는 마법은 달랐다. 하지만 그 움직임은 내가 소피아를 구했을 때, 마물에게 쓴 공격 패턴과 똑같았다.

그녀는 또 『윈드 슬래시』를 발동했다. 그리고 마지막 일격—.

소피아는 검을 내리치기 위해 치켜들고 외쳤다.

"—야아아아아압!!"

날카로운 공격— 나는 소피아가 쥔 검에서 불길이 솟구치는 것을 봤다. 불 속성 하급 마도기 『화염 베기』— 그녀는 그 기술을, 모든 것을 쥐어짜냈다.

검이 키메라 플랜트에게 직격했다. 그러나 마물도 반격에 나섰다. 혼신의 일격과 맞바꿔 덩굴을 뻗치자 그 중 몇 개가 그녀의 몸을 때렸다.

반쯤 무승부인 상황. 이번에 쓰러뜨리지 못하면 키메라 플랜트가 결정타를 날릴 것이다. 그렇게 되면 도와야 했다—.

그러나 다음 순간, 움직이던 덩굴이 완전히 정지했다. 게다가 키메라 플랜트의 몸이 파스스 무너지기 시작했다.

쓰러뜨렸다─. 정신을 차리고 보니 주먹을 틀어쥐고 있던 나는 마음속으로 중얼거렸다. 동시에 소피아도 쓰러졌다. 나는 서둘러 그녀에게 달려갔다.

그와 동시에 숲의 장기가 단번에 물러가고 키메라 플랜트가 있던 곳에 잔해라고 해야 할 온갖 꽃이 핀 나무가 남았다. 이것은 게임 연출과 같았다. 장기 발생원인 키메라 플랜트가 사라지고 숲이 변화했다. 의뢰 달성을 뜻했다.

나는 마법을 해제하고 소피아에게 다가갔다.

"어땠, 습니까……?"

소피아가 일어나려고 했다. 나는 「무리하지 마」라고 말하며 마법으로 치료했다.

"소피아, 괜찮아?"

유노도 다가와 물었다. 소피아는 작게 고개를 끄덕였다.

"걱정을 끼치고 말았네요."

"그…… 굉장했어."

"고맙습니다."

둘이 대화하는 사이에 나는 그녀를 치료했다. 얼추 상처가 아물자 그녀의 얼굴에서 고통이 사라졌다. 그 모습을 보고 물었다.

"너무 무리했잖아. 마을 사람을 돕고 싶어서 그랬어?"

"……마을을 구하고 싶다는 마음도 있습니다. 하지만……."

그녀가 나와 시선을 마주쳤다.

"이유가 하나 더 있습니다. ……루온 님에게, 인정받기 위해서—."

"내게……?"

인정받는다는 말이 참으로 마음에 걸렸다. 소피아가 말을 계속했다.

"처음으로 목숨을 구해주신 그때부터…… 루온 님의 실력을 보고 그렇게 싸우고 싶다고 생각하며 검을 들었습니다."

"왜 그렇게까지 내게…… 조금 전의 기술도 내가 도와줬을 때 보여준 동작이지?"

"눈치채셨군요……. 잘했습니까?"

소피아의 질문에 나는 깊이 고개를 끄덕였다.

"응. 그런데—."

"왜 루온 님에게, 라고 말씀하고 싶으신 거죠? 저도 입으로 표현하기가 무척 어렵습니다."

소피아가 미소 지었다. 어딘지 부끄러워하는 것 같았다. —문득, 유노의 말이 떠올랐다.

'대놓고 말하면 좋아하는 거 아니야?'

호감이 있는 것도 필사적이었던 이유 중 하나? ……그렇게 생각하니 심장이 한 번 두근, 거세게 뛰었다.

하지만 그래도 의문이 있었다.

"……내가 소피아의 목숨을 구한 건 맞아."

"네."

"하지만 그것만으로 내게 의지하는 이유는 못 되잖아?"

"물론, 다른 사람…… 예를 들어 뛰어난 전사의 제자가 된다는 선택지도 있겠죠. 기술을 손에 넣으려면 그게 가장 좋은 방법일지도 모릅니다. 하지만—."

소피아가 내 눈을 똑바로 바라보며 말했다.

"제 목적은 나라를 구하는 것. 그러려면 마족이나 마물과 싸워야 합니다."

"경험을 쌓은 내게 의지하고 싶다는 거야?"

"첫 만남…… 그때 본 움직임은 그야말로, 마물을 상대하는 것이 일상인 움직임이었습니다. 그리고 감옥에서 재회했을 때, 루온 님이 몇 배나 강해졌다고 느꼈습니다."

……과연, 그렇군. 소피아가 원하는 것은 마족을 무찌를 힘. 그것을 손에 넣으려면 나 같은 경험자가 좋다고 생각했다.

게다가 목숨을 두 번 구해준 인물이고 짧게나마 교류도 했다. ……신뢰할 수 있다고 그녀는 확신했다.

"여러 차례 목숨을 구해주셨는데 이런 부탁을 드려서 한심하다고 생각합니다."

소피아가 간청하듯이 말했다.

"하지만, 저는…… 나라를, 사람들을 구하고 싶습니다. 제발, 부탁드립니다."

우리는 계속 서로의 눈을 마주 봤다. 상처는 치료했지만, 덩굴 때문에 여기저기 찢어진 옷에서 격전의 흔적이 엿보였다.

—이번 전투는 만점이 틀림없었다. 급속하게 성장해 게임에서 소지하지 않았던 마법과 기술을 쓰고 보스인 키메라 플랜트를 단독으로 격파하기에 이르렀다. 확실히, 마족과 전쟁을 치를 힘이 있었다.

다만, 그녀의 생존은 당분간 비밀로 해야 했다. 간부급 마족이 그녀를 인지하면 왕 쪽도 위험했다. 그러니 한동안은 눈에 띄지 않게 움직여야 했다.

나는 그녀와 다시 눈을 맞췄다. 눈빛에 감정을 담지 않았는데, 소피아가 조금 얼굴을 굳혔다. 안 된다고 할 거라 생각하는 모양이었다.

그러나 나는 이렇게까지 한 그녀에게 안 된다고 할 수 없었다.

"……알았어. 나로 괜찮다면. 단, 마왕의 위협이 있으니 신분은 절대로 밝히면 안 돼. 나도 네 정체가 들키지 않게 행동할게."

"네. 종자로, 잘 부탁드립니다."

소피아가 웃었다. —마치 커다란 꽃이 활짝 피어난 것 같은 미소였다.

가슴이 덜컥했지만, 곧 가다듬고 다시 생각해 봤다. 피하고 싶은 이벤트가 있지만, 그건 아직 나중의 일— 그녀를 단련할 시간은 있었다.

일단 이래저래 문제가 있을 수도 있지만, 거절할 이유는 없었다. —이렇게 나는 종자가 생겼다.

그리고— 소피아와 함께 숲을 나왔다.

제6장 바람의 정령

종자가 된 소피아의 힘을 키우는 것은 좋으나 무모하게 마물과 싸우기보다 제대로 계획을 세우는 편이 낫겠지—. 그렇게 생각하며 실벳으로 돌아가 소피아의 망가진 옷을 새로 마련했다. 생김새가 많이 달라지지는 않았지만, 이전 옷보다는 마력 장벽이 강화될 것이다.

그리고 여관으로 가서 그날은 쉬기로 했다. ……강해지는 방법에 대해서는 내게 일임할 것. 그래서 먼저 유노와 상담하기로 했다.

"그전에, 한 가지 확인해도 돼?"

"응, 말해봐."

유노가 침대에 엎어진 내 근처를 날아다니며 물었다.

"게임 주인공들은 지금 어쩌고 있어?"

"필리와 에이나 외……라고 해도 한 사람은 아직 마족 측에 있으니까 두 사람이군. 그 사람들도 움직이기 시작했어. 근데 내가 당장 개입할 필요는 없어."

"그럼 소피아의 수행에 전념할 수 있겠네?"

"당분간은. 그런데 언젠가 주인공 주위에 막고 싶은 비극이 일어나니까 거기에는 개입하고 싶어."

"언제 일어나?"

"오늘내일은 아니야. 그 이벤트와 관련 있는 주인공을 관찰하고 판단하려고."

"그렇구나. 음, 생각해봤는데—."

유노가 서론을 말하고 물었다.

"루온은 소피아를 어떤 식으로 단련시킬 거야?"

"어떤 식으로?"

"단련할 건 아는데, 마왕을 무찌르는 쪽으로? 아니면 필요한 만큼만?"

소피아는 마왕을 무찌를— 적어도 조국을 구할 정도의 힘을 갖고 싶을 것이다.

"그리고…… 루온, 소피아에게 사정을 설명할 거야?"

"전생한 사실? 소피아가 어떻게 반응할지 모르니까 지금은 안 하는 게 나아."

"언젠가 말할 때가 오지 않을까?"

"그렇게 생각해. 언제 할지가 앞으로의 과제지. 우선은 지금의 관계를 유지하려고."

"알았어. 앞으로 소피아를 어떻게 훈련시킬 거야?"

어떻게 할까……. 나는 잠시 생각하고 대답했다.

"다양한 상황을 상정해놔서 한꺼번에 말할 수는 없지만, 어떻게 전개돼도 문제없게 하고 싶어. 예를 들어 이벤트가 발생해서 해당 장소로 서둘러 가야 하는 상황이 닥칠 때를 대비해서 이동 마법을 습득하게 하는 게 좋겠네. 그리고—."

"그리고?"

"소피아의 단련과도 이어질…… 일단 정령과 계약해야 해. 북쪽으로 가면 바람의 정령 실프의 거처가 있어. 거기로 가자."

앞으로 어떻게 할지 결정하고 저녁 식사 자리에서 소피아에게 정령과 계약하자고 말했다. 참고로 현자의 핏줄인 그녀는 『신성 마법』을 습득하지 못한다. 즉, 『도사 마법』을 쓰지 못하는 주인공은 중급 이상의 마법을 습득하려면 『정령 마법』 외에는 선택지가 없었다. 현자의 피를 가진 소피아도 마찬가지였다.

바람의 정령인 실프와 계약하면 이동 마법도 습득할 수 있고 그녀도 반드시 강해진다. 일거양득이었다.

"정령, 이요?"

내 말에 소피아가 되물었다.

"그것이, 강해지기 위한 첫걸음입니까?"

"응. 중급 이상의 마법을 다루려면 조건이 있어. ……그런데 소피아는 그 조건을 만족할 수 없잖아?"

"네."

"소피아의 전투 방식을 보니까 검 위주로 가려는 생각인가 본데, 마법을 쓸 수 있으니 계약해둬서 나쁠 거 없어. 정령의 은혜를 받으면 신체 능력도 향상되고."

"알겠습니다."

그녀는 쉽게 승낙했다. 나는 설명을 계속했다.

"그리고…… 나는 마족 침공 같은 화급한 상황이 닥쳤을 때, 바람 마법을 구사해서 고속으로 이동해. 소피아를 도울 때도 그렇게 달려갔어."

"그렇습니까?"

"소피아는 그런 마법을 못 쓰니까 배워야 해. 아무리 그래도 내버려 두고 가면 싫지?"

"그렇군요."

"그러니까 그런 일 없게 하자. 마침 바람의 정령의 거처가 제일 가까워. 그런 마법도 배울 수 있고."

최악의 경우로 내버려 두고 가야 하더라도 내가 말하면 이해할 분위기이긴 했다. 하지만 그런 일이 빈발하면 안 좋으니까 습득해야겠지.

"이 마을 북서쪽에 있는 산악지대에 바람의 정령인 실프가 살고 있어."

"네, 압니다. 거기서 계약하자는 말이군요."

이야기가 정리됐다. 참고로 정령과 계약할 때, 한 번은 트러블과 부딪치고 그것을 해결해야 한다. 다른 사람이 하고 있을 수도 있지만, 만약 트러블과 부딪치면 대응하는 수밖에 없었다. 뭐, 수행의 하나로 보면 되겠지.

우리는 식사를 마치고 내일을 대비해 쉬기로 했다.

다음 날, 새벽녘에 마을을 떠나 실프가 있는 산악지대로 향했다. 국경 부근에 있는 실벳에서 그리 멀지 않아 큰길이 정비되어 있어서 정령의 거처가 있는 산기슭까지 몇 시간 안에 도착할 듯했다.

큰길의 하나인 산을 넘는 길은 좌우로 계곡을 보며 갈 수 있었다. 길이 이렇게 생긴 여러 이유가 있어 보이는데, 루온의 기억에는 없었다. 기회가 있으면 조사해볼까?

마을에서 큰길을 따라 걷다가 계곡에 들어가기 전에 옆길로 빠져 산으로 들어갔다. 중간에 마을이 있어서 길도 있었다. 길을 따라가면 정령의 거처에 도착한다.

전생의 정령은 게임과 소설마다 생김새가 매우 다른데, 이 세계의 실프는 유노처럼 손바닥 크기의 요정처럼 생겼다. 게임에서는 여자만 있었는데, 루온이 보유한 정보에 의하면 남자도 없지는 않았다. 하지만 정령이라 번식 요소가 없어서, 솔직히 성별을 구분하는 의미가 없었다.

"유노 님은 실프와 금방 친해질 것 같습니다."

"그래?"

소피아의 말에 유노가 고개를 갸웃거렸다.

"크기라든가 그런 것만 비슷하지, 난 실프와 달라."

"하지만 적의를 보이지는 않을 것 같습니다."

"그러면 좋지. ……아, 소피아. 그냥 이름으로 불러. 말도 편하게 하고."

"이 말투는 반쯤 습관 같은 것이라…… 잘 부탁드립니다. 유노."

"응."

그런 이야기를 하며 정령의 거처까지 순조롭게 여행했고— 도중에 마주친 마물을 쓰러뜨리며 목적지인 산기슭에 도착했다.

"……광대하군요."

정령의 거처에 들어가기 전, 소피아가 산을 올려다보며 감상을 말했다. 나는 작게 고개를 끄덕이고 주위를 둘러봤다.

말이 산이지, 눈앞에는 산맥이 펼쳐져 있었다. 멀리서 보면 산 정상 부근에 눈이 쌓이기도 했다. 가까이 있어서 전체 모습을 파악하기는 어렵지만, 계곡 입구 외에는 숲이 펼쳐진 천연 요새 같았다.

산을 둘러본 나는 정령의 거처로 가는 길이 있는 것을 확인하고 소피아에게 말했다.

"자, 가자."

"네. ……아, 루온 님."

"응?"

"산을 오르는 거죠? 그, 장비는 괜찮습니까?"

듣고 보니…… 라고 생각했으나, 산을 오르기는 하지만 정상까지 가는 건 아니었다.

"올라가도 산 중턱까지야. 지금은 아침이니까…… 당일치기로 갔다 올 수 있는 거리야."

"그, 그렇습니까?"

소피아가 되물었다. 직접 갔다 오지 않으면 정령이 산 깊은 곳에 살 거라 생각하는 게 당연하나…… 게임에서는 큰 길을 벗어나 조금 걸으면 마을이 있고, 거기서 조금 더 가면 도착이었다.

여정이 생략된 게 분명하지만, 아무리 그래도 온종일 걸리지는 않겠지. 만약 멀거든 돌아오면 된다.

우리는 산길에 올랐다. 15분 정도 걷자 마을이 나왔다. 이야기를 들어보니 정령의 거처까지 한 시간 정도 걸린다고 했다.

"도중에 마물도 나오니까 조심하게."

"네, 고맙습니다."

마을 사람의 조언에 감사를 표하고 다시 걸음을 뗐다. 이윽고 길 좌우로 숲이 나타났다. 그 풍경을 보며 산을 올랐다.

"루온 님."

"응?"

"정령과의 계약 말입니다만…… 바람의 정령과 계약하고 다른 정령과 계약할 수 있습니까?"

—이 대륙에는 수많은 정령이 있는데, 그중에 특히 강한 힘을 가진 것은 4대 원소와 관련된 땅, 물, 불, 바람의 정령들이다. 속성으로는 번개와 얼음도 있는데 각각 바람과 물

의 정령과 계약하면 쓸 수 있다.

모든 4대 정령과 계약하면 전투력이 상당히 오를 게 분명했다. 다만 게임에서는 셋 이상의 정령과 계약하려면 일정한 레벨이 필요했다. 현실이 된 지금은 레벨이라는 개념은 없지만, 정령을 받아들이는 데 능력이 필요한 것은 바뀌지 않았을 것이다.

"그걸 목표로 삼는 것도 한 방법 아닐까?"

유노가 찬성했다. 하지만 그렇게 하려고 해도 네 정령의 거처가 떨어져 있어서 시간이 필요했다.

그러나 목표를 정하는 건 나쁘지 않고, 무엇보다 마왕을 무찌를 힘을 손에 넣으려면 네 정령과 계약하는 게 나았다.

"그래……. 우선 그걸 목표로 할까?"

"알겠습니다."

소피아가 승낙했다. 우리는 적당히 대화하며 점점 앞으로 나아갔다. 도중에 마물과 두 번 마주쳤다. 여기 있는 적은 의뢰받은 숲과 같거나 조금 더 강한 정도라 문제없이 격파했다.

우리는 계속 걸었다. ―게임에서 『바람의 고향』으로 불리던 정령 실프의 거처가 보였다. 산을 등진 암벽 여기저기에 동굴이 있고 미로처럼 되어있었다.

동굴은 실프가 사는 곳이었다. 참고로 현실이 된 지금은 정령의 산이나 실프의 거처 등 여러 이름으로 불렸다.

나는 눈을 의심했다. 실프는 작은데…… 멀리서 봐도 정령이 날아다니는 게 보였다. 소동이 일어난 거면 실프를 볼 수가 없는데, 그런 것 같지는 않았다.

"좋아, 가자."

나는 그렇게 말하며 걸음을 뗐다. 소피아가 뒤따라 걸으며 실프의 거처에 발을 들였다. 그러자 우리를 발견한 갈색 머리카락의 실프가 다가와 말을 걸었다.

"계약을 원하는 분들이십니까?"

굉장히 정중한 말투—. 바람 속성이라 그런지 실프라는 정령은 다른 게임에서는 자유분방하고 제멋대로인 성격으로 묘사되는데, 이 게임의 실프는 무척 어른스럽고 말투도 공손했다.

그리고 이 세계의 실프는 어떤 능력이 있었다. 게임 설정 자료집에 의하면 실프는 사람의 감정을 감지하는 능력을 갖췄다. 바람을 통해 실프에게 감정이 전해진다. 상당한 힘을 가졌을 경우, 거짓말을 간파하는 것도 가능했다.

그리고 대외적인 겸손한 태도— 인간이 가끔 오는 분위기다 보니 대응에 통달했나 보다.

"응. 그런데 나는 아니야. 계약은 이 사람만 할 거야."

소피아를 손을 가리키자 실프가 「알겠습니다」라고 짧게 대답했다. 그리고 유노에게 시선을 보냈으나 대단한 반응은 보이지 않고 말을 이었다.

"계약은 기본적으로 상성 문제가 있습니다. 동료들과 대화해보고 파장이 맞는 이가 있으면 바람에 따라 계약할 수 있습니다."

그렇게 말하고…… 실프는 조금 난처한 표정을 지었다.

"다만, 한 가지 작은 문제가 있어서 상황에 따라서는 잠시 이곳에 머물러주셔야 합니다."

"머물러야 한다고요?"

소피아가 언급했다. 나도 신경 쓰였다.

"실은 며칠 전에 산 반대쪽에서 거대한 용이 날뛰었습니다. 장기로 이성을 잃었으니 마족의 침공이 원인이겠지요. 현재는 얌전해졌습니다만, 때에 따라서는 안전이 확인될 때까지 이곳에 있으셔야 할 수도 있습니다."

"여기는 안전해?"

내 질문에 실프가 고개를 끄덕였다.

"문제가 생겨도 동료들이 많은 이곳이라면 대응할 수 있으니까요."

과연, 그렇군. ……내가 「고마워」라고 말하자 실프는 날아갔다.

"자, 찾아보자."

"네."

소피아에게 말하고 걸음을 떼자 이번에는 유노가 입을 열었다.

"있잖아, 나를 보고 무슨 생각을 했을까?"

"별 반응이 없었으니까 별 생각 안 하지 않았을까?"

"에이, 재미없어."

뭘 기대했는데, 너……. 마음속으로 말하며 어떻게 움직일지 생각했다.

게임에서는 입구 근처의 실프에게 말을 걸어서 어느 동료가 계약할지 선택했다. 단, 정령과 계약할 수 있는 것은 파티 내 두 사람이라는 제약이 있었다. 그 이상은 정령의 힘이 충돌해서 생각처럼 힘을 발휘하지 못한다는 설정이라 무리였다.

현실에서는 실프와 대화하고 즉시 계약하는 모양이었다. 그 결과, 우리는 정령을 찾으러 다니게 됐다. 소피아가 계약하는 것이니 당연히 그녀와 상성이 좋은 정령을 찾아야 하는데―.

"기준이 없어서 곤란하군요."

소피아가 잠깐 걷다가 중얼거렸다. ……이것만은 나도 도와줄 수 없었다. 그녀의 행동에 맡겨야 했다.

"저와의 상성……. 실프 쪽은 그런 걸 아는 걸까요?"

"사람보다 마력 지각 능력이 좋을 테니까 걷다 보면 다가오지 않을까?"

"그럼 잠깐 산책하지요."

"그래."

우리는 딱히 목적을 정하지 않고 걸었다. ……가끔 다가오는 정령도 있었지만, 계약하지 않고 돌아갔다.

게임에서는 이렇게 돌아다니는 게 생략된 걸까……. 여러 가지 생각을 하며 동굴에 들어가 보기도 했다. 그곳에도 실프가 있었지만, 역시 계약에 이르지는 못했다.

우리는 차츰 위로 올리갔다. 실프 수도 점점 줄어들어서 돌아가야 하나 싶은— 그때였다.

"계약을 원하는 분이세요?"

한 실프가 다가왔다. —한눈에 보고 이전 실프들과 다른 기척을 느꼈다.

푸른 머리카락에 인간 여자가 입을 법한 하얀 원피스를 입었는데…… 외모가 어딘지 어른스럽고 기품이 있었다.

목소리도 다른 실프에 비해 무척 청초했다. 좀 지위가 있는 실프인가 생각하는데 그녀가 먼저 소피아를 바라봤다.

"……흠, 당신은—."

"네?"

소피아가 되물었다. 그동안에도 실프는 말없이 그녀를 관찰했다.

눈앞의 실프는 소피아를 보고 생각하는 바가 있는 것 같았다. 만약 정체를 알아차렸으면 먼저 왕녀라고 언급했을 테니 아니겠지. 현자의 핏줄이라 평범한 사람과 뭔가 다르게 느껴지나?

"잘 와주셨습니다."

실프가 말했다. 이어서 그녀는 유노에게 시선을 보냈다.

"정령이…… 아니시군요."

"응, 나는 천사 유노야."

유노가 왠지 가슴을 펴며 자기소개를 했다. 실프는 천사라는 말에 약간 관심을 보였으나, 깊이 파고들 생각은 없는지 더는 언급하지 않았다.

"마왕의 위협 때문에 우리에게 협력을 청하러 오신 거겠지요. ……우리도 위협받는 존재. 함께 싸워요."

"네."

소피아가 대답했다. 일단 정체는 들키지 않은 모양이었다.

그럼 이제부터 어떡할까……. 그렇게 생각하다가 폭주한 용이 있다는 게 떠올랐다. 그래—.

"소피아, 잠깐 자유행동 하지 않을래?"

갑작스러운 제안이라 그런지 소피아가 고개를 갸웃거렸다.

"네? 자유행동이요?"

"응. 어쩌면 내가 같이 있어서 실프가 꺼리는 걸지도 몰라. 계약하려면 혼자 있는 게 나을 수도 있어."

실프는 「그렇지 않아요」라고 말하고 싶은 듯했으나 반박하지 않고 지켜봤다.

"나도 잠깐 주변을 둘러보고 싶거든. ……아, 폐 끼치려는 건 아니야."

"네, 괜찮습니다."

내 말에 실프가 승낙했다. 소피아는 고개를 갸웃거렸지만, 나는 반쯤 억지로 결정하고 둘로 나뉘기로 했다.

"유노."

"나는 따라갈 거야."

유노가 방긋 웃었다. 내가 무엇을 하려는지 아는 모양이었다.

이내 소피아와 대화한 실프가 사라지고, 행동을 개시했다. 먼저 기척을 없애는 마법을 사용하고 달렸다. ─신체를 강화하면 일반인이 쫓아오지 못할 속도로 달릴 수 있었다.

얼마 지나지 않아 산 정상에 도착했다. 주위를 둘러봤으나 수상한 점은 없었다.

"용을 찾아서 어떡하려고?"

유노가 주머니에 파고들며 물었다.

"위험하니까 쓰러뜨리게?"

"장기에 얼마나 침식됐는지에 따라 다르지. 게임에서도 용들 대부분은 장기에 완전히 침식되지 않아서 마물처럼 먼지가 되지 않고 끝났어."

용이 적으로 출현하는 경우도 있는데, 대륙 고유종과 마왕의 군세가 만든 종이 있었다. 실프의 이야기에 의하면 이번 용은 대륙 고유종이었다.

이 세계에 있는 용은 전생에서 말하는 서양 용으로, 몸통이 길지 않고 인간처럼 사지를 가진 타입이었다. 그중에는 인간의 말을 하는 용도 있었다.

또, 거대한 용은 대기에 떠도는 마력을 흡수해 양식으로 삼기 때문에 먹이를 찾을 필요가 없었다. 대형 용이라면 먹이를 찾을 목적으로 어슬렁거릴 리가 없었다.

"적을 조종하는 『마리오네트』라는 마법이 있으면 대화할 수 있으니까…… 그걸 노리고 싶어."

게임에서는 적을 조종한다는 설정이었으나, 실질적으로는 상태 이상인 혼란의 상위 호환으로, 마법을 풀 거나 동료가 마물을 공격하지 않는 한은 조종할 수 있는 것이었다. 다만 대륙 고유종에게만 통용되고, 마법 사용자는 다른 마법이나 공격을 못 하게 돼서 취미 부류에 들어가는 마법이었다. 하지만 현실이 된 지금은 마물과 이야기할 수 있으니 나름 대로 유용했다.

"장기에 침식된 용에게 효과가 있을까?"

"농도에 따라 해볼 만한데…… 아무튼 찾아야 알 수 있어."

"근데 근처에 없을 수도 있잖아."

"그때는 포기하는 수밖에. 소피아를 너무 오래 기다리게 하는 것도 미안하고."

산을 달려 내려갔다. 대형 용이 폭주하면 나도 알지 않을까 했는데, 쉽게 풀리지는 않았다.

잠시 이동 마법으로 돌아다녀 봤지만, 찾지 못했다. 어쩌면 어디 동굴에 틀어박혔을 가능성도 있었다.

"……응?"

그때, 나는 산 표면에 있는 용을 발견했다. 나보다 몇 배는 컸지만, 용으로서는 소형으로 크기를 보면 실프가 말한 용은 아니었다.

그쪽으로 다가가니 용이 경계했다.

"자, 진정해."

나는 『마리오네트』로 대화를 시도했다. 녹색 비늘에 덮인 긴 목을 가진 용— 게임에도 등장한 용으로 이름이 『에어드래곤』이었다.

"잠깐 물어볼 게 있는데…….'

폭주한 용이 없냐고 물으니…… 용이 작게 으르렁거리며 대답했다.

"지금은 숲속에 있는 동굴에서 자고 있다고? 그곳은…… 알았어, 고마워."

감사를 표하자 이번에는 용이 내게 말했다.

"그 용이 무서워서 숲속 동물들도 도망쳤다고? 알았어, 해결해볼게."

용이 기뻐했다. 나는 용 앞에서 물러나며 마법을 풀고 동굴로 이동하기 위해 숲으로 들어갔다.

"—음."

그때였다. 갑자기 유노가 주머니에서 뛰쳐나왔다.

"왜 그래?"

"루온, 멈춰."

그 말에 멈춰 섰다. 동시에 유노가 옆에 있는 수풀을 봤다.

"뭔가 있어?"

"기척이 나."

응? 기척? 나는 미간을 찌푸리고 확인했다.

"기척이라니…… 유노, 기척 탐지 능력 있었어?"

"당연히 있지."

처음 듣는데……. 잠시 침묵하자 유노가 수풀로 몸을 돌렸다.

"거기 있는 거 알아. 나와."

잠깐의 침묵. 무슨 일인지 지켜보니—.

"이 주변의 대기와 동화해서 몸을 숨기고 있었습니다만……. 과연, 천사 특유의 기척 탐지 능력인가요?"

목소리가 들렸다. —게다가 귀에 익었다.

그리고 갑자기 모습을 보였다. 정령의 거처에서 마지막으로 대화한 실프였다.

"다시 소개하겠습니다. 레핀이라고 합니다. 저도 수행이 부족한 모양이군요."

"아, 으응……."

뒤를 밟은 모양이었다. 유노의 탐지 능력도 제법이라고 생각했을 때— 그녀의 뒤에서 바스락거리는 소리가 나고 족제

비 같은 작은 동물이 뛰쳐나왔다.

"……어라?"

유노가 주춤했다. 잠깐, 이거 설마―.

"저기, 설마 저 동물의 기척을 느낀 건 아니겠지?"

"아니야, 아니야. 나는 저 정령의 기척을 느꼈어. 응, 그런 게 틀림없어."

당사자인 정령, 레핀은 참 미묘한 표정을 짓고 있었다. 스스로 무덤을 판 게 됐으니 당연하다면 당연했다.

"……뭔가 저질러버린 것 같지만, 계속 이야기하겠습니다."

"아, 응. 네."

"우리의 거처에 들렀다면 용에 관해 경고 받았을 겁니다. 그럼에도 산의 반대쪽으로 내려가서 소형 용과 마법으로 대화해서 탐색한…… 그 의도가 뭐죠?"

"으음, 그게 말이지……."

어떻게 설명하지? 곧이곧대로 대답하면 안 될 것 같고, 사실대로 말해도 쉽게 믿어줄지 어떨지―.

"……아까, 말씀드리지 않았습니다만."

그때, 갑자기 레핀이 말을 꺼냈다.

"어떤 사정으로 힘을 숨기고 있군요. 남몰래 악행을 저지르는 것 같지도 않으니, 납득할 수 있는 설명이라면 아무 말 않겠습니다."

"……힘?"

"네. 저는 다른 실프와 다르게 바람으로 마력의 많고 적음을 계측할 수 있습니다. 당신이 평범한 모험가와 비교해 높은 능력이 있다는 건 압니다. 아무래도 아직 몸속에 힘을 숨겨둔 느낌이지만요."

"다른 실프와 다르다니, 레핀 씨는 대단한 정령이야?"

유노의 물음에 레핀이 미소 지었다.

"이래 보여도 실프를 통솔하는 왕인지라……."

……충격적인 말이 날아와 나도 모르게 뿜을 뻔했다. 지위가 있을 줄은 알았지만……. 유노도 예상 못 했는지 비명을 질렀다.

"……어, 왕?"

"네."

"그, 그러시군요……. 저—."

"예를 차릴 필요 없습니다. 말도 평소처럼 하세요."

그리고 레핀이 분위기를 바꾸고자 헛기침을 했다.

"놀라신 것 같습니다만, 계속 말하겠습니다. 폭주한 용이 있는 곳으로 가서 무엇을 할 셈이었습니까?"

이유를 묻는 실프의 왕— 레핀. 설마 이런 전개가 될 줄이야.

순간, 속인다는 방법도 떠올랐으나 힘이 있는 실프는 거짓말도 간파한다. 왕이나 되면 그런 능력을 보유한 것이 자명한 일인지라, 얼렁뚱땅 넘어가는 건 무리였다.

사정을 이야기하고 원만하게 끝내야 하나……. 그런데 어디까지 말할까. 전생한 것도 말해야 하나…….

여러모로 생각하며 입을 떼려던 때— 갑자기 으르렁거림 같은 소리가 숲 전체를 뒤흔들었다.

소리에 반응해 주변 나무에서 십여 마리의 새가 일제히 날아올랐다. 생명의 위기를 감지한 걸까.

"……루온, 이거—."

"용, 이에요."

유노의 말을 막듯이 레핀이 말했다. 조금 전과 다르게 표정이 험악했다.

"한동안 거처에서 나오지 않았는데 아무래도 움직이기 시작한 것 같습니다."

"그렇군"

나는 맞장구를 치고 숲으로 발을 들이려고 했다. 그러자 당연히 레핀이 불러 세웠다.

"기다리세요. 당신은—."

"날 알고 싶다면, 따라오면 알 수 있어."

레핀에게 말하자 그녀가 의아한 표정을 지으며 침묵했다.

"용을 쓰러뜨리자는 말이 아니야. 장기에 침식당했으면 구해주고 싶어."

"……인간인 당신이 할 수 있다는 말입니까?"

"그럴지도 모르지."

대답과 동시에 나는 달렸다.

아까 마주친 에어 드래곤에게 정보를 받아놓았다. 해당 장소로 서둘러 가자 숲에 둘러싸인 암반지대를 발견했다.

그중 가장 큰 바위에 동굴이 있었다. 그리고—.

"밖으로 나왔군."

동굴 앞에 사지가 달린 거대한 용이 있었다.

뒷다리로 선 그 모습은 10미터는 될 듯 거대했다. 그러나 쓸데없는 지방이 붙지 않은 무척 슬림한 체형이라 날렵하게 움직일 것 같았다.

또, 용은 붉은 비늘과 피부를 가졌다. 특히 비늘 부분이 검붉어서 마치 피라도 뒤집어쓴 것 같은 인상이 강했다.

나도 본 적 있는 용이었다. 하지만 이 녀석은—.

"하필이면『다이너스트 드래곤』이라니……!"

"다이너스트?"

되묻는 유노에게 나는 탄식하며 대답했다.

"용 계열 마물 중에 톱클래스의 공격력을 가진 놈이야. 인간과 대화는 못 하지만, 힘은 다른 용보다 한 수 위야."

물리 공격 위주에 공격력은 마물 중에서도 상위인, 장비가 어중간하면 한 방에 전투 불능이 되기도 하는 파괴의 용이 바로 이 다이너스트 드래곤이다.

"그런데…… 왜 이런 곳에 있지? 이 녀석의 서식지는 북부에서도 일부 산악지대인데⋯⋯."

"마족의 침공에 남쪽으로 도망쳤겠죠."

레핀이 용의 압도적인 기색에 눌렸는지 심각한 표정으로 대답했다.

"아니면 장기의 영향으로 여기까지 날아왔다든가."

"어느 쪽이든 희귀한 녀석이군. 왕, 아무리 그래도 이 용을 상대로는 위험하지 않아?"

"우리의 거처라면 방어전으로 버틸 수 있습니다. 희생자는 나오겠지만요."

"그럼 여기서 대처해야지."

내가 단정하자 레핀이 경악했다.

"이 용을 상대로 싸우겠다고요⋯⋯?!"

"그건 해봐야 알아. 완전히 마물이 되지 않았으면 죽이지 않는 방향으로 가고 싶은데."

레핀이 「그럴 여유가 있는지」 묻고 싶은 얼굴을 했다. 하지만 나는 아무 대답 없이— 검을 뽑았다.

그때, 폭주 용이 우리를 눈치채고 탁한 진홍색 눈을 이쪽으로 향했다.

"자, 우선 장기에 어느 정도 영향을 받았는지 확인해야겠어. 유노, 주머니로 들어와."

"네네~."

"왕, 그쪽은 어떡할 거야?"

내 말에 반신반의하던 레핀이 주위를 둘러봤다.

"일단 숲의 상황을—."

레핀이 말을 끝내기 전에 용이 입을 크게 벌리고 포효했다. 이어서 오른쪽 앞발을 뻗어 나를 향해 사정없이 내리쳤다.

앞발에 달린 발톱으로 나를 찢으려는 것일지 몰라도, 발톱을 쓴다기보다는 위에서 뭉개버린다고 하는 게 나을 정도였다.

"—자, 그럼……."

양팔에 마력을 실었다. 그러자 레핀이 작게 신음했고— 나는 검을 뻗어 용의 공격을 막았다.

쿵— 소리와 함께 충격이 온몸을 덮쳤다. 짓눌려도 이상하지 않은 공격이었다. 하지만—.

"수행 시절, 너보다 센 마물의 공격도 막았거든."

내리친 앞발을 검으로 막아냈다. 마력으로 강화해서 무기도 무사했다.

"이럴 수가……."

레핀이 놀라는 소리가 뒤에서 들렸다. 인간이 용의 공격을 태연히 막아낸 광경은 정령을 경악시키기에 충분했다.

나는 발톱에서 나오는 장기를 가까이에서 느꼈다. 장기의 영향을 받은 마물은 기본적으로 장기를 장벽처럼 구성해 방어하는 데 썼다. 그 장기를 마법으로 상쇄하면, 침식 정도가 낮을 경우에는 이성을 되찾았다.

"하지만, 이 용에게는 나름의 방식으로 대응해야—."

마력을 모아 힘을 증폭시키고 힘차게 팔을 움직였다. 그 결과, 나를 뭉개버리려 했던 용의 발톱을 밀어내고— 앞발을 튕겨내는 데 성공했다.

뒤에서 레핀이 또 경악하는 소리를 들으며 마력을 모아 마법을 준비했다. 용이 알아차리고 다시 공격했으나 가볍게 옆으로 스텝을 밟아 어렵지 않게 피했다.

머지않아 마법을 완성했다. 폭주 용이 눈치채고 살짝 경계하는 기색을 보였으나 나는 상관하지 않고 마법을 발동했다.

"영원히 얼어붙어라— 마에 침식된 자여!"

주문과 동시에 얼음이 생겨났다. 용의 뒷발을 얼음으로 구속해 움직이지 못하게 했다.

그 뒤에는 순식간이었다. 콰가가각— 소리와 함께 마치 얼음이 살아있는 것처럼 용의 몸을 뒤덮기 시작해 단번에 얼음에 가뒀다.

"오오— 역시!"

유노가 감탄했다.

"루온, 이 마법은……?"

"얼음 속성 상급 마법 『얼음의 관』이야. 특수한 얼음이 상대를 감싸고 마력을 뽑아내는 마법인데…… 이번에는 조금 바꿔서 용의 몸을 뒤덮은 장기를 상쇄하게 해놨어. 생명력이 상당하니까 단순히 얼음에 갇히기만 해서는 안 죽어. 그래서 이런 방법도 쓴 거고."

"그럼 마법을 해제하면 원래대로 돌아와?"

"어디까지나 가능성이지만."

나는 실프의 왕을 봤다. 그녀는 여전히 놀란 표정이었다.

"……그 힘, 어떻게……?"

"이래저래— 설명하자면 길어."

"사정을 말씀해주시겠습니까? 때에 따라서는—."

레핀이 말을 마치기 전, 용을 뒤덮은 얼음에 픽 하고 금이 갔다.

"상급 마법으로도 무리인가. ……용이 노발대발하겠군."

이내 얼음이 깨졌다. 머리 부분이 깨지자 위협하는 포효를 내질렀다. 공기를 뒤흔드는 소리에 주변의 나무가 수런거리기 시작했다.

"……아직 장기가 사라지지 않았어요. 매우 위험합니다. 게다가 겉으로 나오는 장기가, 아까보다 더……."

레핀이 말했다. 나는 용을 주시하며 그녀에게 물었다.

"왕이 보기에 장기를 없애면 어떻게든 될 것 같아?"

"판단하기 매우 어렵습니다만…… 아까보다 강한 마법으로 공격하면, 어쩌면……."

"알았어. 그럼 한 번 더 간다."

마력을 높였다. 그와 동시에 마침내 용이 얼음에서 완전히 탈출했다.

그리고 사납게 달려들었다. —나만을 노리는 눈이 이성을 잃고 분노로 가득 찼다.

"루온!"

"걱정하지 마, 유노."

나를 부르는 소리에 미소 지었다. 용의 눈에는 영악하게 보였을지도 모르겠다.

"놈을 봉인한다!"

그렇게 말하자마자 용이 발톱을 휘둘렀고 나는 검을 가로 들어 대항했다. 발톱이 검에 부딪히자 튕겨 날아갈 정도로 엄청난 힘이 팔에 전해졌다.

그러나 나는 밀리지 않고 신체를 강화해 검을 가로 휘둘렀다. 간단하게 휘둘렀다고 해도 지장이 없을 정도였다.

연달아 왼쪽 발톱이 날아왔다. 그것도 검으로 받아넘기자 용이 입을 크게 벌렸다.

용이 바람 속성 브레스를 뿜었다. —전생의 기억을 끄집어내고 검에 마력을 실었다.

입에서 난폭한 바람이 거세게 불어왔다. 정통으로 맞으면 풍압으로 몸이 뚫려도 이상하지 않을 정도이나 나는 극히 냉정하게 검을 휘둘렀다.

내가 휘두른 검에서 바람의 검이 생겼다. 상쇄할 목적으로 휘두른 공격이 브레스와 격돌하여 주위에 선풍을 일으켰다. 나뭇가지가 휘고 나뭇잎이 휘날렸다. —그 결과, 내

검의 힘이 브레스를 웃돌았고 용이 몸을 뒤로 젖혔다.

그 직후, 용이 돌진하려고 했다. ―아니, 아니었다. 나를 뭉개버릴 속셈인가.

그렇다면……. 검을 놓고 양팔에 마력을 모았다. 전류가 팔을 타고 흐르는 느낌이 들고 마력이 날뛰었다.

용이 육박했다. 나는 대항하기 위해 양손을 내지르고 체술 중급 기술인『호연포(虎連砲)』를 날렸다.

호랑이를 본뜬 충격파가 상대에게 여러 차례 충격을 주는 기술로, 위력은 그럭저럭이지만 이걸로 쓰러뜨릴 생각은 없었다.

용의 복부에 공격이 작렬했다―. 포효와 비슷한 충격파의 굉음이 귓전을 때린 순간, 거구가 크게 떠밀려 날아가 바닥에 등을 부딪치며 떨어졌다.

땅이 울렸다. 그 순간, 이번에는 마법을 해방하기 위해 마력을 분출했다.

"얼음비가 흩날리고 은설이 나부끼는 절대영도의 영역―, 나와라― 정령의 빙계!"

주문과 함께 마법이 발동했다. 상급 마법을 초월한 최상급에 위치한 마법―.

『스노우 위그드라실』. 대상을 거대한 얼음에 가두는 얼음 속성 최강 마법이다. 상대가 태세를 다듬기 전에 마법이 완전히 발동했다.

용의 주변 땅이 얼어붙고 얼음이 단번에 하늘로 뻗어 올라갔다. 그 규모는 『얼음의 관』과 비교할 수준이 아니었다. 냉기가 피어나 주변 땅까지 얼렸다.

용이 서 있는 주변만 극한의 대지로 바뀐 듯이 하얗게 물들었고, 얼음이 완전히 몸을 감쌌다. 그리고 기술을 본뜬 듯이 여기저기에 얼음 기둥이 생겼다. 이름 그대로 전설의 거목을 상기시키는 거대한 얼음 덩어리가 형성됐다. 가지에서 마력인지, 얼음 결정인지 반짝이는 하얀 입자가 흩날리며 환상적인 세계를 만들었다.

"……굉장해."

레핀이 감탄했다. 하지만 아직 끝나지 않았다. 이 마법은 어디까지나 용의 움직임을 봉인했을 뿐—.

"이제 장기가 사라지기를 바라는 수밖에 없어."

이번 얼음은 용도 파괴하지 못하는지 한동안 얼음 거목에 갇혀있었다. 침묵이 이어지고…… 이윽고 얼음이 자연스럽게 부서지기 시작했다.

용이 얼음에서 얼굴을 내밀었다. —그러나 조금 전처럼 분노하지는 않았다.

"장기가 사라진 모양입니다."

"성공했네."

나는 작게 숨을 내쉬고 『마리오네트』로 용과 대화를 시도했다.

"어쩌다······ 그렇구나, 역시 장기의 영향을 받았군."

"루온 님, 여기는 제게 맡겨주시겠어요?"

레핀이 제안했다. 내가 그 말을 따르자 그녀가 앞으로 나 갔다.

아무래도 정령인 그녀도 용과 의사소통할 수 있는 모양이 었다. 잠시 마법으로 대화한 뒤, 용이 갑자기 날개를 펼쳤다.

"이제 괜찮습니다."

"무슨 이야기를 했어?"

"이 용의 고향은 마왕의 침공을 받았을 테니 이곳에 머무 르라고 했습니다."

"마족을 제지할 수도 있겠군."

"그렇습니다."

레핀이 다시 나를 보고 섰다.

"그리고 사정을······ 들을 수 있을까요?"

—여기까지 온 이상, 말해야겠지.

"솔직하게 말해도 믿어줄지 알 수 없는 내용이야."

"그건 제가 판단합니다."

결연한 말— 그녀의 표정은 지극히 진지했다. 어떤 내용이 든 받아들이겠다는 분위기가 느껴졌다.

그래서 나도 솔직하게 말하기로 했다.

다만, 역시 게임 세계라고 하면 이해하지 못할 것이라 생 각해서 이 세계 이야기가 존재했다는 식으로 바꿔서 설명하자 실프의 왕이 흥미진진한 표정을 보였다.

"흠, 당신은 이세계에서 전생한 몸이고, 원래 세계에서는 이 세계가 이야기로 존재했다고요."

"응. ……다만, 이야기 결말이 여러 갈래라 앞으로 어떻게 될지는 몰라."

"그리고 마왕을 토벌하려면 현자의 핏줄을 가진 인물이 필요하다고요? ……아주 흥미롭군요."

"믿는 거야?"

"바람은, 당신이 거짓말하는 게 아니라고 하네요."

그것이 답이었다. 믿어줬다.

나는 한 가지 물어보고 싶은 게 생겼다.

"음, 나에 대해 뭐 신경 쓰이는 거 있어?"

"……당신에 대해?"

"마력이 특이하다든가?"

"전생한 영향으로요? 저는 딱히 신경 쓰이는 게 없습니다만."

실프의 왕이 한 말이니 정령은 모르는 것이리라. 흠, 이건 기회가 있으면 조사해보고 싶었다.

"다만, 질문이 하나 있습니다."

레핀이 말했다.

"당신의 원래 세계에서 이 세계가 이야기로 존재한다면, 당신의 세계와 이 세계에 어떤 인과관계가 있는 걸까요?"

아니, 그런 개념적인 건 물어봐도 몰라. 오히려 내가 알고 싶었다.

나는 난처한 표정을 지었다. 그러자 실프가 어흠, 하고 헛
기침했다.

"대답할 수 없는 질문이었군요. ……사정은 알겠습니다.
당신은 마왕과의 전투를 몰래 지원하려는 것이군요."

"그렇지, 뭐."

"그와 관련해서 천사인 그녀를 동료로……?"

"직접적으로는 관련 없어."

유노가 대답했다. 그녀는 이미 내 주머니에서 나와 날아다
니고 있었다.

"그렇군요. 그럼 그 종자 분…… 그, 확인 차 물어보는데……
그 사람, 소필리아 왕녀이죠?"

생각 못 한 물음에 나는 깜짝 놀랐다.

"알고 있었어?"

"네. 대륙 정세를 확인하려고 돌아다니다가 본 적이 있습
니다."

"공식 석상에서는 얼굴을 내밀지 않았는데……."

"성 안에, 잠깐……."

몰래 들어갔구나……. 말투와 태도는 정중한데 장난도 좋
아하나 보다.

"음, 뭐, 정답이야. ……이야기에서는 죽으니까 내가 폐하
와 함께 구했어."

"그녀를 훈련시키는 것은 현자의 핏줄이기 때문입니까?"

"아니, 어쩌다 보니까. 이야기 내용대로 진행하려면 마왕 토벌은 이야기 주인공들에게 맡기는 게 제일이라고 생각하는데……."

"현자의 핏줄이어도 이야기 속에서 마왕을 무찌르는 건 아니기 때문에 무찌를 수 있을지 의문인 건가요?"

"……현자의 핏줄이라는 요소가 마왕을 무찌르는 자격과 이어진다면, 소피아는 분명 그럴 자격이 있지만—."

"알겠습니다."

레핀이 그렇게 대답하고 확인하듯이 물었다.

"루온 님은 경위가 있어서 소피아 님을 훈련시키게 됐지만, 지금은 이야기에 따라 세계를 움직이려는 것이죠?"

그렇게 말하면 마치 내가 신처럼 세계를 조작하는 식으로 들리는데…….

"움직인다느니 그런 대단한 건 아니라고 보는데……. 지금은 주인공들의 동향을 살피며 상황을 지켜보는 중이야."

"그래요? 하지만 당신의 말을 생각하면 저도 어떻게 움직일지 여러모로 생각해봐야겠군요."

"생각?"

레핀이 즉각 고개를 끄덕였다.

"이 전투는 단순히 마왕을 무찌르는 게 아니라 순서가 필요합니다. ……게다가 말을 들어보니 아주 복잡한 과정이라,

여러모로 움직여야 하나 생각했습니다."

왕이…… 만약 주인공 중 누군가와 계약한다면 큰 힘이 되리라.

"좋아, 정했어요."

그리고 레핀이 말했다.

"당신을 따라가죠."

……응?

순간, 말뜻을 이해하지 못하고 침묵……. 잠깐 가만히 있다가 나는 입을 열었다.

"내가 한 말, 들었어?"

"물론이죠. 저는 이야기 주인공이 아닌 당신을 따라가야 대륙을 구할 수 있다고 생각했을 뿐입니다."

—그제야 간신히 무슨 말인지 이해했다. 어느 주인공이 마왕을 무찌를지 모르는 지금, 누군가와 계약하는 것은 리스크가 있었다. 하지만 우리와 동행하면 적어도 이야기를 컨트롤해서 마왕을 무찌를 존재를 만들 수 있다고 생각한 것이었다.

"그거, 거절해도 따라올 거지?"

"이야기를 들었으니 말이죠."

"그럼 내가 뭐라 말해도 의미가 없네."

"그리고 도움도 된답니다."

레핀이 말했다. 도움…… 분명 정령이고 견해가 다르나,

내 복잡한 사정을 이해하고 도와주려는 모양이었다.

"다만, 루온 님과 계약할 수는 없으니 소피아 님과 계약하겠습니다."

"……여기 있으면 소피아가 다른 실프와 계약하지 않을까?"

"그건 괜찮습니다. 제가 돌아가서 그녀와 대화할 때까지 계약하지 말라고 지시했습니다."

"왕녀인 걸 알고 점찍어놨군."

"네. 소피아 님은 현자의 핏줄을 이었죠……. 저는 잠재 능력이 높다고 판단했습니다. 마왕을 무찌를 존재가 되지 않을까 싶어서 계약할지 망설였는데, 루온 님의 말을 듣고 결심했습니다."

내 행동도 소피아와 동행하기 위한 요인이 됐나. 하지만…….

"앞으로 마족이 침공하면서 정령을 위협할 수도 있어. 그런데 왕이 없으면 문제잖아?"

"대응책은 이미 생각해놓았습니다. 루온 님께 감사해야겠군요."

용을 도와준 것과 관련된 모양인데…… 레핀의 미소에 어딘지 말로 표현할 수 없는 박력이 느껴져서— 나는 그저 고개를 끄덕이는 수밖에 없었다.

"알았어. 그렇게까지 말한다면, 잘 부탁해. 혹시 무슨 일 있으면 말하고."

"네. 참고로 소피아 님에게 사정 설명은?"

"안 했어. 지금은 현재 상황을 유지하는 게 나아."

"확실히, 지금은 그래야겠죠."

……응?

"뭔가 있어?"

"조금이지만요. 루온 님과 소피아 님 사이에 문제가 있는 건 아닙니다. 하지만 마음에 걸리는 게 있으니 현시점에서는 이야기하지 않는 게 낫겠어요. 물론 언젠가 말해도 되고요."

……이유를 묻고 싶었지만, 도무지 말해줄 것 같지 않았다. 내가 사정을 설명했으니 그쪽도……라고 생각했지만, 그녀는 말없이 미소 지었다.

말할 생각이 없군. 뭐랄까, 서로 속이는 능력은 그녀가 더 능숙했다.

"있지, 루온."

그때, 주위를 날아다니던 유노가 입을 열었다.

"여왕님도 참가했는데, 다시 결론 내려도 되지 않아?"

"결론? 뭘?"

"소피아를 마왕을 무찌를 존재로 키우는 거."

"그건……."

"주인공은 각자 움직이고 있잖아? 그럼 그쪽은 흐름에 맡기고 우리는 우리끼리 움직이자. 소피아의 바람과도 일치하고."

……그녀의 말이 맞았다. 소피아는 강한 의지를 보였고, 나도 그 생각은 존중하고 싶었다. 물론, 소피아가 평온하고

탈 없이 살기를 바라기도 했다. 하지만—.

"……응, 그래."

유노의 말에 동의했다.

"내 목적은 마왕을 무찌르는 것. 나는 아무것도 할 수 없지만, 도울 수는 있어……. 그녀의 강한 희망이야. 그럼 나도 전력을 다할게."

"저도 돕겠습니다."

레핀도 이어 말했다. 나는 고개를 끄덕였고— 실프의 왕이 동료가 됐다.

실프의 거처로 돌아와 소피아와 합류했다. 먼저 레핀이 다시 자기를 소개했다.

"저는 이 실프가 사는 곳의 왕인 레핀이라고 합니다. ……당신은 소피아 왕녀이죠?"

갑작스러운 말에 소피아가 당황했다. —아니, 그보다는 왕녀라는 것을 들키고 상대가 실프의 왕이라는 것에 이중으로 놀랐다.

"현자의 후예인 당신에게 협력하고 싶습니다."

"왕께서 저와?"

"네."

레핀이 생긋 웃었다. 소피아에게는 놀라움의 연속이었다. 그녀는 레핀의 말을 듣고 잠시 당황했으나, 이내—

"······알겠습니다. 잘 부탁드립니다."

레핀과 계약했다. 나로서도 사정을 아는 정령이 동료가 돼서······ 개인적으로는 잘됐다 싶었다.

계약 후, 레핀의 몸이 사라졌다. —정령은 마력이 되어 계약자의 몸 안으로 들어간다. 그러나 레핀은 계약 후 곧바로 소피아의 옆에 나타나 우리에게 물었다.

"그럼 갈까요? ······다음에는 어디로 갑니까?"

그러고 보니 진로를 정하지 않았다. 소피아도 나를 봤다. 종자니까 판단을 맡기는 게 당연한가.

"글쎄······."

사역마의 정보에 의하면 현자의 후예인 각 주인공들이 이래저래 움직이고 있었으나, 아직 5대 마족에게 도전할 상황은 아니었다. 하지만 앞으로 개입하고 싶은 비극적인 이벤트가 기다리고 있는 인물이 있으니 우선 그곳으로 가고 싶었다.

그러나 사정을 모르는 소피아에게 그 이유를 말할 수는 없었다. ······그때, 나는 대륙 지도를 떠올렸다. 이벤트 발생 지점은 분명—

"—가능한 한 빨리 네 정령과 계약하는 게 좋겠지?"

"그럼 다른 정령이 있는 곳으로?"

소피아의 질문에 나는 고개를 끄덕였다.

"그래. 참고로 왕, 여기서 가장 가까운 정령의 거처가 어딘지 알아?"

"왕 말고 이름으로 불러도 괜찮습니다. 가까운 곳이라면 땅의 정령인 노움이군요."

―전생 전의 세계에서 노움의 이미지는 인간보다 작고 수염을 기른 노인이었다.

그러나 이 세계의 노움은 노인이 아니었다. 다 소년처럼 생겼다.

"과연, 다음은 노움입니까."

소피아가 말했다. 다시 기합을 넣은 모습이었다.

장소는 실프의 거처 동쪽으로, 개입하고 싶은 이벤트와 같은 방향이었다. 걸어서 이동해도 대륙 끝에서 끝으로 가는 건 아니니까 이벤트 전에 충분히 도착할 수 있고, 계약도 할 수 있을 것이다.

그리고 소피아는 실프와 계약해서 이동 마법을 습득할 수 있었다. 내가 쓰는 방식은 응용 버전이라 조금 훈련해야 하지만…… 노움의 거처로 가는 길에 하면 되겠지.

시간이 여유로우니 마법을 가르치며 소피아를 지금보다 단련하게 시킨다― 이것이 가장 효율도 좋았다.

다만, 해결해야 하는 문제가 있었다. 예를 들면 소피아가 마족에게 발각되지 않도록 마력의 질을 바꾸는 방법을 찾아야 했다.

"좋아, 그럼 다음 목적지는 노움의 거처야. 괜찮지?"

"네."

"알겠습니다."

소피아와 레핀이 잇따라 대답했고— 우리는 실프의 거처를 떠났다.

실벳으로 돌아온 우리는 그날 밤, 작전회의를 했다. 멤버는 나와 유노, 그리고 레핀. 소피아에게 말하지 못해 가슴 아프지만, 어쩔 수 없었다.

"루온 님, 이야기 주인공들은 어떻습니까?"

"지금은 문제없이 움직이고 있어. 현 단계에서 내가 개입할 필요는 없어 보여."

"알겠습니다. 문제는 많지만, 하나씩 해결하죠."

레핀이 말했다. 거기에 동의하지 않을 이유가 없어서 작게 고개를 끄덕이자 이번에는 유노가 말했다.

"루온, 가장 우선해야 하는 게 뭘까?"

"소피아의 마력이지. 예를 들어 발크스 왕국을 공격한 마족⋯⋯ 이 녀석은 분명, 다양한 곳에서 책략을 꾸미는 녀석이니까 우리가 움직이면 마주칠 가능성이 있어."

"그거, 루온이 어떻게 못 해? 도구를 제작한다든가?"

"내가 할 수 있는 건 능력을 끌어올리거나 내성을 만드는 정도야. 마력의 질을 바꾸는 건 내 전문이 아니야."

"두 가지 대처 방법이 있습니다."

레핀이 말했다.

"하나는 그 마족 자체를 쓰러뜨리는 것. 소피아 님을 아는 마족이 없으면 문제없다는 이론이죠."

"나도 그 방법을 생각해봤는데, 여기저기에서 암약하는 녀석인데 섣불리 쓰러뜨리면 시나리오에 지장이 생길지도 몰라."

"과연, 지금은 아직 손대기 어렵군요. 그럼 다른 방법인 마력의 질을 바꾸는 도구를 손에 넣어야겠습니다."

"그런 게 있어?"

"천사가 남긴 아티팩트라든가?"

"여왕님의 말대로 그런 게 있었어."

유노가 설명을 보충했다. 그럼 그것을 찾는 것도 한 방법이라고 생각하지만―.

"으음, 유적에 들어간다고 딱 나올까?"

"천사의 유적과 관련된 정보는 문헌을 조사하면 나온다고 들었습니다만."

―레핀의 말대로 어디에 어떤 아티팩트가 잠들어 있다는 문헌이 유적의 발굴품 중에 있었다.

천사들은 굳건하지 않았는지 다른 장소의 정보를 다양하게 수집했다. 그중에 아티팩트 정보도 있어서 문헌을 뒤지면 우리가 바라는 아티팩트의 단서를 발견할 수도 있을 터였다.

"그런 자료는 큰 마을이 아니면 찾기 어렵지…… 실벳은

학문 분야에 약한 곳이니까 여기 말고…… 노움의 거처로 가는 길에 조사할만한 마을이 있으니까 거기서 문헌을 뒤져 보자."

그렇게 대화를 매듭짓고…… 문득 실프의 거처에서 일어난 일이 떠올랐다.

장기에 침식된 용. 그것은 게임에서 발생하지 않은 이벤트였다. 물론 게임에서 일어난 사건이 전부라고 생각하는 건 아니지만, 왠지 모르게 루온 마딘이 돌아다니지 않으면 발생하지 않았을 이벤트라는 생각이 들었다.

루온이 유노와 만난 것과 소피아를 구한 것. 이런 사건이 세속적으로 알려지지는 않았지만, 게임과 비교해 변화가 일어나고 있을 가능성도 부정할 수 없었다.

현재 대륙의 정세는 게임 시나리오 테두리 안에 속해 있다. 세부적인 변화는 있을지 몰라도 큰 줄기는 같았다. 그것을 되도록 유지하고 싶었다. ─적어도 주인공 중 누군가가 5대 마족을 격파할 때까지.

거기까지 생각했을 때, 갑자기 사역마에게서 보고가 들어왔다. 그것은─.

"……이건."

"왜 그래?"

유노의 물었다. 나는 말할까 망설였지만, 레핀과 유노가 말을 기다려서 입을 열었다.

"······아까, 우리가 가는 방향에 있는 마을에서 자료를 뒤져보자고 했잖아······. 결론부터 말하면 그 마을에 마족이 잠입했어."

유노와 레핀이 놀랐다. 레핀이 먼저 말을 꺼냈다.

"마족이요······?!"

"게다가 내가 아는 마족이야. 목적이 뭐지······."

"아는 마족이라니?"

유노가 또다시 물었다. 나는 불길에 휩싸인 마을을 떠올렸다.

"······유노, 핀트 마을이 습격당한 거 기억하지?"

"응, 당연하지."

"그때 습격한 악마들을 마족이 이끌고 있었어."

"아, 그리고 보니 마을 습격 때, 악마를 발견하고 놀랐었지?"

"응. 그때, 감시용으로 사역마를 파견했어. 아직까지 들키지 않고 감시하고 있는데, 그 마족이 마을에 들어갔어."

"이야기에 나오는 녀석이야?"

"응."

나는 유노와 레핀을 각각 바라보고 입을 열었다.

"이야기 주인공이자 인간과 마족 사이에서 태어난······ 오르디아야."

이 또한 나와 소피아가 활동한 영향일까, 아니면 이야기

테두리 안일까.

어느 쪽이든, 나는 예감했다. 어떤 형태로든 그와 엮이게 되리라고—.

〈『현자의 검 2』에서 계속〉

현자의 검 1

초판 1쇄 발행 2017년 4월 10일

지은이_ Junki Hiyama
일러스트_ Yomi Sarachi
옮긴이_ 이은혜

발행인_ 신현호
편집부장_ 김은주
편집진행_ 최은진 · 김기준 · 심승신 · 원현선
편집디자인_ 양우연
국제업무_ 정아라
관리 · 영업_ 김민원 · 이주형 · 조인희

펴낸곳_ (주)디앤씨미디어
등록_ 2002년 4월 25일 제20-260호
주소_ 서울시 구로구 디지털로 26길 111 JnK디지털타워 503호
전화_ 02-333-2513(대표)
팩시밀리_ 02-333-2514
이메일_ lnovel.admin@gmail.com
L노벨 공식 카페_ http://cafe.naver.com/lnovel11

KENJA NO KEN 1
ⓒ Junki Hiyama 2015
All rights reserved.
Originally published in Japan by Shufunotomo Co., Ltd.
Translation rights arranged with Shufunotomo Co., Ltd.
Korean Translation rights ⓒ 2017 by D&C MEDIA Co., Ltd.

ISBN 979-11-278-4075-4 04830
ISBN 979-11-278-4074-7 (세트)

값 7,000원

© 2015 Tsuyoshi Yoshioka
Illustration:Seiji Kikuchi
KADOKAWA CORPORATION

현자의 손자 1~2권

요시오카 츠요시 지음 | 키쿠치 세이지 일러스트 | 최승원 옮김

사고로 죽었을 청년이 갓난아기의 모습으로 이세계에서 환생!
구국의 영웅「현자」멀린 월포드에게 거둬진 그는 신이라는 이름을 받는다.
손자로서 멀린의 기술을 흡수해가며 놀라운 힘을 얻게 된 신이었지만,
그가 열다섯 살이 되자 할아버지는 이렇게 말했다.
"상식을 가르치는 걸 깜빡했구만!"
이런 이유로 신은 상식과 친구를 얻기 위해
알스하이드 고등 마법학원에 입학하게 되는데—.

『규격 외』소년의 파격적인 이세계 판타지 라이프, 여기서 개막!

라이트노벨의 새로운 빛! L노벨의 신간은 매월 10일에 발매됩니다. http://cafe.naver.com/lnovel11

© Taro Hitsuji, Kurone Mishima 2015 /
KADOKAWA CORPORATION

변변찮은 마술강사와 금기교전 1~5권

히츠지 타로 지음 | 미시마 쿠로네 일러스트 | 최승원 옮김

알자노 제국 마술 학원의 계약직 강사인 글렌 레이더스는 수업 중
자습 → 취침 상습범.
그러다 웬일로 교단에 서나 싶으면 칠판에 교과서를 못으로 고정해놓는 등,
그야말로 학생들도 기가 막혀 하는 변변찮은 강사다.
결국 그런 글렌에게 진심으로 화가 난 학생,
「교사 킬러」로 악명이 자자한 시스티나 피벨이 결투를 신청하지만—
이 해프닝은 글렌이 허무하게 패배하는 안타까운 결말로 막을 내린다.
하지만 학원에 닥친 미증유의 테러 사건에 학생들이 휘말리자,
"내 학생에게 손대지 마!"
비로소 글렌의 본성이 발휘된다!

2017년 4월 TV애니메이션 방영중!!

라이트노벨의 새로운 빛! ㄴ노벨의 신간은 매월 10일에 발매됩니다. http://cafe.naver.com/lnovel11